Breve Historia del Che Guevara

BREVE HISTORIA DEL CHE GUEVARA

Gabriel Glasman

Colección: Breve Historia
www.brevehistoria.com

Título: Breve Historia del Che Guevara
Autor: Gabriel Glasman

Doña Juana I de Castilla 44, 3º C, 28027 Madrid
www.nowtilus.com

Editor: Santos Rodríguez
Coordinador editorial: José Luis Torres Vitolas
Diseño y realización de cubiertas: Florencia Gutman
Diseño de interiores y maquetación: Ana Laura Oliveira

ISBN-13: 978-84-9763-521-9
Fecha de edición: Mayo 2008

Printed in Spain
Imprime: Estugraf Impresores S.L.
Depósito legal: M-18710-2008

Índice

Introducción

Difícilmente pueda hallarse en el último medio siglo de historia universal un protagonista que haya calado tan hondamente en el imaginario popular como Ernesto Guevara, más conocido simplemente como el Che.

Y resulta doblemente sorprendente porque Guevara brilla en la escena política y social poco menos de una década, plazo bastante más breve que el de otros tantos protagonistas que jamás alcanzaron siquiera una parte de la fama mundial que, en cambio, abrazó a nuestro personaje.

No obstante, ese corto lapso fue más que suficiente para fundar una tradición que nada parece

ponerle fin. Desde esta perspectiva, Guevara constituye en sí mismo una verdadera incógnita que envuelve al conjunto cultural y social que le dio cabida. Para decirlo en otros términos: ¿Qué sugiere su persona para que consagre semejante consenso internacional? La pregunta, sencilla en su formulación, es difícil de contestar. Por lo menos con una única respuesta.

Del Che se ha dicho y escrito todo, o casi todo. Bendecido como un paradigma de la rebelión y ejemplo de consecuencia y pureza revolucionaria, para unos; responsable principal del instigamiento a la violencia irresponsable y aventurera, para otros, su fantasma recorre el mundo tal y como los fundadores del marxismo creyeron que sucedería con el pensamiento que inspiraron.

Pero a diferencia de este último, que cobraba identidad en el conocimiento de una doctrina, Guevara conmueve tan solo con su ejemplo, más allá del conocimiento real y verdadero que se tenga de su proyecto revolucionario. De alguna manera, y sin querer aquí formular una crítica a su herencia política, el Che se convirtió más en símbolo que en creencia y quizás allí resida una de las respuestas que pueda ir abonando una explicación de la continua y ascendente fascinación que produce, sin que por ello se reproduzcan –antes bien, desaparecieron prácticamente– los militantes que hicieron propia su práctica política. Lo primero,

irrita a sus enemigos; lo segundo, los tranquiliza relativamente. Sus seguidores, en tanto, montados en las vivencias del “Guerrillero Heroico”, no precisan de mayores argumentos para renovar en su nombre la eterna utopía revolucionaria.

Tanto fuego –mantenido sin esfuerzo por la memoria de su ejemplo– no ha cristalizado, empero, en un mismo nivel de conocimiento de su vida y, fundamentalmente, de su pensamiento y particulares prácticas políticas. El asunto es complejo y curioso, y conduce invariablemente a preguntarse cuál es el sentido que los millones de personas que reivindican su figura finalmente le asignan.

¿Acaso adscriben al revolucionario comunista, al convencido de las certezas que el marxismo ha subrayado sobre el devenir de la sociedad? ¿O al hombre de acción, aquel que no le teme a ningún peligro? ¿Es el guerrillero siempre resuelto a cumplir lo que promete y mejor y primero que nadie, el que entusiasma a tantísimos adeptos? ¿O es el intelectual revolucionario quien los convoca, tras proyectar en el Hombre Nuevo un deseo colectivo que interpreta brillantemente? ¿Atrae el Che fumador de habanos y sonrisa burlona? ¿O el descamisado que realiza incansablemente trabajos voluntarios? ¿El asmático que juega rugby, empecinado en no ser batido por ningún impedimento? ¿O el adolescente resuelto

a recorrer América en una moto y sin un peso? ¿El argentino que declama dar la vida en Cuba, el Congo y Bolivia? ¿O el ilustrado que gusta hablar de amor y de poesía?

En fin, ¿cuál de todos estos Guevara, a veces en conflicto entre sí, es el que bombardea constantemente el cerebro y el corazón de todas las generaciones?

Una salida más o menos segura, aunque ciertamente no muy creativa, sería señalar que Guevara es este y aquél. Y todos los demás Guevara también. Y aunque pareciera una verdad de Perogrullo tendríamos argumentos suficientes para decir que, efectivamente, el Che Guevara fue, es y seguirá siendo un todo complejo, casi como una personalidad y una figura en permanente construcción... a pesar de haber sido asesinado hace cuatro décadas.

Pero Guevara es más que una figura en construcción, siempre redescubierta. Guevara es un icono afectivo como quizás ningún otro personaje histórico lo ha sido en el siglo pasado. Guevara es una seña de identidad y, de alguna manera, una esperanza viva, un anhelo. En definitiva, un modelo a seguir. En este sentido, es que Guevara ha funcionado más como corazón que como cerebro. Se ha convertido en la pura rebelión, en la pura acción, en el puro acontecer. Guevara es la realización, el aquí y el ahora. Una

respuesta a las promesas incumplidas, una garantía de dignidad, de que nada amoral y antiético será negociado. Guevara es la representación misma del ideal. Justo él, quien realiza los mayores esfuerzos personales para ser protagonista de la más concreta de las revoluciones latinoamericanas. Paradojas de la historia, el revolucionario analítico terminó convertido en un ideal romántico.

Recuperar el pensamiento y la práctica política de Guevara no conspira en absoluto contra las atractivas miradas que sobre él se vierten a diario. Por el contrario, contribuye a encuadrar su imagen aun más en la de un individuo que, consciente de su rol personal y colectivo en la historia, lo entregó todo para ser consecuente con sus objetivos más deseados.

Guevara, el que jamás pidió realizar nada que el no realizara primero, merece mucho más que ser llevado en , tatuajes y pósters. Merece por sobre todas las cosas ser conocido en su rica personalidad y en su sorprendente actividad pública.

Su vida, sus relaciones afectivas y familiares, sus amigos y primera formación, su despertar a la política, al compromiso y a la acción revolucionaria, sus ideales y convicciones más profundas, como así también sus pasos en falso, erráticos y fracasados en numerosas oportunidades, nos

permiten conocer la formación de una de las figuras claves de la historia contemporánea. La misma que seguirá presente, seguramente, en las crisis venideras y en las intervenciones de las grandes mayorías en ellas.

1

Los primeros años

Corría el año 1927 cuando Ernesto Guevara Lynch y Celia de la Serna sellaron, boda mediante, un apasionado romance que se había desencadenado poco tiempo atrás. Desbordantes de juventud y pertenecientes a un mundo social y económicamente acomodado, ni a Ernesto ni a Celia les acompañaban por entonces las tribulaciones mundanas de la subsistencia diaria. Por el contrario, dueños de esa seguridad que la herencia familiar les garantizaba, podían transcurrir por la vida con la certeza de un futuro venturoso. No podían sospechar, por supuesto, que estaban a punto de ingresar a una dimensión impensada, donde buena parte de sus

mundos imaginados colisionaran con otros nuevos, hasta modificar por completo sus existencias.

Pero por el momento, la vida de los dos enamorados discurría con cierta displicencia.

Ernesto Guevara Lynch había nacido un año después que el siglo, en 1901, en el seno de una familia que, junto a cierta fortuna, gustaba exhibir entre sus más preciadas pertenencias una galería de prohombres de notables y aventureras existencias. Paco Ignacio Taibo II consigna que entre los antepasados de los Guevara había un virrey de Nueva España –Pedro de Castro y Figueroa– quien hacia mediados del siglo XVIII accedió a tan caro cargo, aunque manteniéndose en él apenas un año.

El virrey de referencia tuvo un hijo de nombre Joaquín que, no se sabe si no tuvo mejor idea o mejor opción, lo cierto es que secuestró en territorio de Louisiana a una muchacha que terminará siendo su esposa. Como fuere, serán sus descendientes quienes, tras vivir la fiebre de oro que sacudió en San Francisco a gentes de toda laya, terminaron un siglo más tarde asentando sus reales en tierras argentinas.

También Jorge Castañeda, por su parte, reconstruye la genealogía de los Guevara Lynch, en los que la sangre española e irlandesa se confundirán a partir de las correrías de un tal Pa-

trick Lynch, capitán él, quien abandona Inglaterra para recalar en España, primero, y luego en la Gobernación del Río de la Plata.

Según el catedrático francés Kalfon, don Patrick llegó a aquellas playas cargando un cofre de monedas de oro; más tarde, su hijo Justo llegará a tener cierta carrera en la administración local, alcanzando a ser administrador de la Aduana Real.

Uno de sus hijos, a su vez, gozará de mayor fortuna y se convertirá con el tiempo en uno de los hombres más ricos del continente, acumulando una gran cantidad de campos que legará a sus nueve hijos.

Para mediados del siglo XVIII, todos los indicios señalan que los Lynch ya estaban establecidos con cierto posicionamiento entre la oligarquía local, al grado de que entre los fundadores de la Sociedad Rural Argentina –centro político, social y económico de los terratenientes criollos– figura el ya lustroso apellido portado por un tal Gaspar. También por entonces un Enrique Lynch tuvo activa participación en la misma entidad.

Con los años, los Guevara Lynch alcanzaron un poderío económico importante que se materializó en grandes extensiones de campos y varios establecimientos ganaderos.

Sin embargo, sea ya por los avatares de la economía en el periodo inmediatamente anterior

SEGUNDA EXPOSICION

DE LA

SOCIEDAD RURAL ARGENTINA

Setiembre de 1876

PRINCE CHARLIE

SEGUNDO PREMIO — DISTINCION ESPECIAL

N° 16—*Prince Charlie*, caballo entero, Cleveland-argentino, (1/2 sangre), le pelo saino negro, de tres años de edad y de 1 m. 52 cent. de alto. Signo articular; — tiene en la frente una mancha blanca, bordada en forma de riángulo.

No completamente desarrollado este animal tiene sin embargo todas las egiones del cuerpo bien perfeccionadas; la cruz bien salida; las espaldas en uena direccion; pecho medianamente ancho; el dorso y el lomo bien ostenidos, y la grupa horizontal; los miembros secos; las articulaciones nchas y aplomos buenos.

Espositor: El Espartillar

La Sociedad Rural en Argentina representa a los sectores más poderosos económicamente. Paradójico resulta encontrar entre los fundadores de dicha asociación a un ancestro de Guevara.

a la gran crisis de 1929, o porque las rentas que daban los campos debían repartirse entre un numeroso elenco familiar, lo cierto es que los Guevara Lynch comenzaron a perder paulatinamente aquella fortaleza económica que los había distinguido. No había penurias en su presente ni en su futuro inmediato, pero no sería equivocado caracterizar a la familia como en cierta decadencia financiera.

Celia, por su parte, había nacido en el seno de una familia que bien podía competir parejamente con los blasones sociales y económicos heredados por su novio. De hecho, el último virrey del Perú, don José de la Serna e Hinojosa, era quien estaba al frente de una ilustre progenie que, representante de la corona española, terminó mezclada e incorporada al criollismo rioplatense.

Claro que el insigne e ilustre virrey fue vencido justamente por Sucre en la batalla de Ayacucho, la misma batalla que consagró la derrota definitiva de los españoles en territorio sudamericano. Es decir, el famoso pariente era un "enemigo", pero famoso y de alta alcurnia al fin de cuentas.

El origen de los De la Serna no debió haber acomplejado demasiado a ninguno de los integrantes de la familia. En verdad, las raíces "nacionales" nunca fueron para la clase terrateniente lo-

cal un elemento fundante de identidad política y cultural. Hacendados y grandes propietarios, la oligarquía nativa –de la que los De la Serna formaban parte– tenía a los imperiales de cualquier nación en la mayor estima, y volcaron sus influencias políticas y favores económicos para que los gobiernos locales labraran con aquellos los más variados acuerdos comerciales. Por supuesto, la oligarquía terrateniente se benefició como ningún otro sector social.

Entre los descendientes de Celia se hallaba Juan Martín de la Serna, un poderoso terrateniente propietario de grandes extensiones de tierra y varias estancias, y que fundó, como señala Kalfon: "...a pocas leguas de la capital, la ciudad de Avellaneda."

Poseedores de campos y estancias como los Guevara Lynch, aunque más prósperos que estos, los De la Serna también conocieron desde antaño la vida sin apremios, garantizada sobradamente por las generosas rentas familiares.

En estos contextos acomodados, Ernesto y Celia se conocieron, enamoraron y proyectaron juntos continuar con sus vidas.

Por entonces, Ernesto era un muchacho de veintiséis años muy apuesto y con cierto aire de seductora despreocupación. Detrás de sus anteojos amanecía un hombre locuaz, gran conversador y de apasionado verbo, condiciones que acompaña-

ba con indumentaria elegante y cuidada. Educado, culto y de refinados modales, había incursionado en los estudios universitarios aunque ciertamente de manera poco exitosa, y acumulaba sendas decepciones en las carreras de arquitectura e ingeniería.

En cambio, había sorprendido a más de uno con su tenaz inclinación hacia la administración de los bienes familiares y una particular vocación por los emprendimientos empresariales, una característica que parece haber heredado de algunos de sus lejanos parientes, cuyas historias de arriesgadas aventuras había escuchado en boca de sus padres y tíos.

Por entonces, Ernesto había invertido buena parte de la fortuna que había heredado en el Astillero San Isidro, una constructora de yates que justamente pertenecía también a otro de sus familiares. El negocio parecía bastante próspero, aunque no tan fascinante como para comprometer su vida en él.

Ciertamente, Ernesto se dejaba conquistar más fácilmente por desafíos de otro tipo, como el que bien pudo representar en su imaginario un cultivo de yerba mate en las selvas de Misiones. Por lo menos, las posibilidades de hacer fortuna con el llamado "oro verde" se asemejaban bastante a la empresa que alguno de sus antepasados ensayó durante la fiebre del oro californiano, por

lo que no le costó demasiado trabajo involucrarse en una aventura selvática.

Así, cambiando talleres industriales prolijamente instalados por montes vírgenes, Ernesto Guevara Lynch se dedicó a estructurar su nuevo negocio.

Celia, su novia, vivía ciertamente una situación bastante más compleja, pero que no será en absoluto reactiva a la de su galán. Cinco años menor que Ernesto y la más pequeña de siete hermanos, la muchacha había perdido tempranamente a sus padres, por lo que creció prácticamente criada por su hermana Carmen.

No obstante, la educación inicial y su línea a seguir habían sido trazadas por el legado familiar, por lo que Celia terminará atesorando una férrea educación católica que cosechará trabajosamente en el colegio del Sagrado Corazón, en Buenos Aires. Pierre Kalfon la define por entonces como una joven "...muy piadosa, hasta el punto de martirizarse colocando cuentas de vidrio en sus zapatos..." Incluso, sostiene Kalfon, es probable que Celia se inclinara por tomar como propio el destino de los hábitos, algo que no sucedió justamente por habérsele cruzado en su camino quien sería su futuro esposo.

En verdad, esta visión tan devota de la muchacha no parece sostenerse demasiado, y la influencia de Carmen parece haber sido decisiva

en ello. En efecto, Carmen era una mujer que se había relacionado intensamente con el mundo de la cultura y por entonces se había envuelto en un apasionado romance con Cayetano Córdova Iturburu, un poeta comunista con quien finalmente se casaría en 1928.

Por supuesto, Carmen no tardaría en incorporarse a las filas del comunismo vernáculo y desde ese lugar ejercería una contundente influencia crítica contra cualquier vestigio religioso en la más pequeña de sus hermanas. Desde este punto de vista, no resulta extraño que Celia se termine adhiriendo rápidamente a las vanguardias feministas y socialistas que, por entonces, constituían un verdadero ariete contra la cultura conservadora y reaccionaria dominante en la Argentina de los años veinte.

Es probable que el celo de Carmen incidiera notablemente para que Ernesto no fuera del todo bien recibido en la familia. Y mucho menos cuando Celia habló de casamiento inminente, siendo que aún no había cumplido siquiera la mayoría de edad que la liberara del engorro de pedir la necesaria autorización.

Los De la Serna, pues, decidieron no permitir el casamiento de Celia, al menos por el momento. No sabían que lejos de conjurarse el arranque romántico de la menor, las cosas empeorarían sensiblemente.

La negativa familiar no acobarda a la pareja, que finalmente optará por quemar sus naves en una única y dramática jugada: una fuga de corte romántico, ensayo que finalmente logró su cometido. Los De la Serna cedieron, y el 10 de diciembre de 1927 Ernesto y Celia quedaron unidos legalmente.

Según las conclusiones del investigador norteamericano Jon Lee Anderson, la historia de amor de Celia y Ernesto sumaba un condimento extra y que al final resultó determinante para apresurar y asegurar el casamiento: Celia estaba embarazada, y el escándalo se cernía sobre las dos familias. La necesidad de resolver positivamente el entuerto seguramente decidió las posturas desesperadas de los dos jóvenes, como la amenaza de fuga.

Por suerte para ellos, todo se resolvió dentro de lo planificado. Solo restaba armar una justificación acorde al próximo parto –Celia llevaba tres meses de embarazo cuando se casó– pero en verdad eso ya parecía un problema menor. Por lo pronto, la cuestión principal se había resuelto, y la pareja de recién casados halló el sosiego necesario para organizar su vida inmediata.

Por otra parte, los planes yerbateros de Ernesto resultaban funcionales para que ambos "desaparecieran" con sobrados motivos de los

ambientes sociales que solían frecuentar. De esta manera, el embarazo de Celia quedaba sin exponerse a las comunes y frecuentes habladurías.

Los aspectos económicos de la aventura selvática no constituían tampoco un grave problema. Al casarse, Celia recibió una buena parte de la herencia paterna que le correspondía, y Ernesto no tardará en convencerla sobre la necesidad de que la misma, o una porción de ella, fuera invertida en la explotación del "oro verde". Celia accederá; aún desconocía la inveterada costumbre de su marido de realizar pésimos negocios.

Así las cosas, Ernesto y Celia partieron raudamente hacia Misiones, donde adquirieron doscientas hectáreas de pura selva sobre una de las márgenes del río Paraná. El campo, situado en Caraguatay, fue bautizado "La Misionera", y muy pronto contó con una casa amplia, aunque se entiende que sin aquellas comodidades que las construcciones urbanas solían tener.

Por el momento, todo andaba sobre rieles para los recién casados. Los días se escurrían en proyectos y sueños compartidos en interminables caminatas por la región y el descubrimiento de una asombrosa naturaleza, tan colorida como intrigante. Además, entablaban relaciones con sus vecinos, y volvían una y otra vez a realizar

paseos y planificaciones. Mientras tanto, la panza de Celia crecía y los preparativos del parto comenzaron a ocupar mayormente el tiempo de la pareja. Se acercaba, pues, el momento de recibir al primogénito.

ERNESTITO

La historia familiar va a consignar que hacia junio de 1928, Ernesto y Celia abandonaron momentáneamente "La Misionera" para emprender el regreso a Buenos Aires, donde la futura madre podía recibir la atención médica adecuada y que, por otra parte, un matrimonio en su situación económica no tendría problemas en pagar.

No obstante, el proyecto de dicha atención se ve drásticamente alterado cuando un trabajo de parto prematuro sorprende a Celia en pleno viaje, a la altura de Rosario. Entonces todo va a precipitarse y a culminar, en la ciudad santafecina, con el nacimiento del primer hijo de la pareja. Era el 14 de junio y los padres, felices por el acontecimiento, aventaron cualquier sospecha apelando a un diagnóstico que nadie se animaría a poner en duda: "prematuro".

Anderson, en cambio, sostiene que el nacimiento fue en realidad exactamente un mes

Ernesto Guevara Lynch y Celia de la Serna son los padres del pequeño Ernesto. El vástago de ese matrimonio terminará escribiendo páginas notables en la historia latinoamericana y mundial.

antes, el 14 de mayo, habiéndose alterado el acta de nacimiento. Según el investigador estadounidense, la propia Celia confesó tardíamente:

> ...que la mentira había sido necesaria porque el día de su boda con el padre del Che estaba en el tercer mes de embarazo. Fue por eso que inmediatamente después de la boda, la pareja se alejó de Buenos Aires en busca de la remota selva de Misiones. Allí, mientras su esposo se instalaba como emprendedor dueño de una plantación de yerba mate, ella vivió los meses de embarazo lejos de los ojos escrutadores de la sociedad porteña. Poco antes del alumbramiento –concluye Anderson– viajaron río abajo por el Paraná hasta la ciudad de Rosario. Allí dio a luz y un médico amigo falsificó la fecha en el certificado de nacimiento: la atrasó un mes para proteger a la pareja del escándalo.

Mas allá de que la historia de Anderson resulta completamente verosímil y que no son extraños a la sociedad de la época los intentos de disfrazar cualquier hecho que pudiera poner en duda la moralidad de la familia, lo cierto es que el recién nacido, a quien se le puso el nombre del padre, vio la primera luz en la ciudad de Rosario, un atributo que a los orgullosos lugareños nadie puede disputarles.

La estadía rosarina fue breve, y en muy poco tiempo la familia se trasladó primero a

Celia de la Serna y Teté, como cariñosamente llamaba a Ernesto cuando era pequeño.

Una antigua fotografía de Ernesto con sus amigos.

Buenos Aires y luego una vez más a Caraguatay. Se iniciaba así un ciclo de grandes y constantes movimientos por distintas ciudades y provincias, en los que los Guevara Lynch-de la Serna buscarán afanosamente establecerse en un único sitio, aunque jamás podrán lograrlo del todo.

Por el carácter inquieto y andariego del padre, o por las contingencias impuestas por la quebrantada salud del pequeño, lo cierto es que el peregrinar y las mudanzas serán una constante que, de alguna manera, permanecerá por siempre en la personalidad de Ernestito, aun cuando se convierta en uno de los hombres públicos más notables de la época.

Volvamos a Caraguatay, donde Ernestito ensayó sus primeros pasos.

Ernesto padre, por lo pronto, alternaba los asuntos de la plantación con la educación del primogénito que, en breve, ya no se sentiría tan solo en la casona familiar. En efecto, Celia había quedado una vez más embarazada y en lo inmediato se requirió la ayuda de una suerte de nodriza para cuidar al más pequeño.

Desde entonces, Carmen Arias se ocupará de atender al niño, tarea en la que se empeñará amorosamente durante los siguientes ocho años. También en esa época, y sin duda para que pudiera diferenciarse del padre, Ernestito se ganó el segundo de su interminable lista de

apodos: de ahora en adelante sería para todos Teté, tal como lo bautizara la propia Carmen.

Mientras Teté crece entre los mimos de sus padres y los de Carmen, algunos nubarrones comienzan a agruparse en derredor de la pareja. A Ernesto padre, como le pasara a lo largo de su vida, los negocios le resultan cada vez más esquivos. O mejor dicho, los buenos negocios. La aventura misionera pronto revela que precisa de tiempos mayores que los pensados, y los primeros brotes se hacen esperar a costa de las reservas familiares de Celia.

Por otra parte, el astillero que Guevara Lynch apenas monitoreaba a distancia, tampoco daba muestras de grandes éxitos; por el contrario, uno de los socios se retiró de la empresa y el propio Ernesto siquiera podía ocuparse de él, estando a miles de kilómetros como efectivamente estaba. Para colmo de males, un incendio devorará las instalaciones del astillero que, por no estar bajo la cobertura de un seguro, dejará a su dueño al borde mismo de la quiebra total.

Sin embargo, nada de esto parecía aún demasiado grave, aunque es más que evidente que la endeble situación comercial de Ernesto padre tuvo una fuerte incidencia para el surgimiento de una distancia y malestar creciente en el seno del matrimonio. Por el momento, la llegada de nuevos hijos fue evitando de alguna manera una

crisis que, en cambio, no dejó de acumular argumentos para una resolución dramática, hacia 1949, cuando la familia finalmente ya dejara de ser la unidad monolítica y feliz de antaño.

Por lo pronto, Ernesto padre no parece haber desesperado demasiado; es más, quizás confiando excesivamente en la futura renta del campo misionero y en los recursos económicos de su esposa, persistió en mantener una vida despreocupada, matizada con viajes a Buenos Aires y paseos familiares en las playas del San Isidro Yacht Club.

Transcurría mayo de 1930, cuando todo cambió abruptamente.

Un diagnóstico alarmante

Una tarde, en la que corría cierto viento frío, Celia salió a nadar con Teté en sus brazos. Para una mujer osada y desprejuiciada como ella, esto no debió significar ningún tipo de riesgo, sino acaso un desafío más. Pero llegada la noche, los resultados de la salida desvelaron síntomas preocupantes. El pequeño comenzó a toser de una manera no habitual en él, y tras la consulta médica de rigor emergió un diagnóstico alarmante: bronquitis asmática.

La noticia sería un auténtico mazazo para la pareja, y ya nada sería igual desde entonces. Kalfon señala que los padres estaban aterrados y desesperaban al son de los ruidos temibles de los bronquios de su hijo. Ernesto padre dirá más adelante:

> Ernesto se iba desarrollando con ese terrible mal encima y su enfermedad comenzó a gravitar sobre nosotros. Celia pasaba las noches espiando su respiración. Yo lo acostaba sobre mi abdomen para que pudiera respirar mejor y, por consiguiente, yo dormía poco o nada.

Como si fuera poca la gravedad del estado de salud de Ernestito, que imprimirá un singular ritmo de vida a toda la familia, el padre no dejará jamás de culpar a su esposa por lo que consideraba una conducta irresponsable y, en definitiva, disparadora del asma del pequeño. En la recriminación incluía, por supuesto, muchas de sus nuevas frustraciones, ya que tuvo que acomodar su dispersa manera de encarar la vida a las exigencias del tratamiento de Ernestito. Para Guevara padre esa será una pérdida de libertad que directamente se la achacará, culposamente, a la "irresponsabilidad" de Celia.

Anderson subraya en defensa de la madre que su marido no fue enteramente justo con ella:

Celia era sumamente alérgica y sufría ataques de asma. Probablemente había transmitido esa propensión congénita a Ernesto. Más adelante –agrega el investigador norteamericano– algunos de sus hermanos y hermanas también contrajeron alergias y asma, aunque ninguno en grado tan virulento. Probablemente la exposición al frío y al agua solo habían activado los síntomas que ya estaban latentes en él.

Iniciado el tratamiento del niño, los primeros resultados se revelarán frustrantes y angustiosos. Las medicinas convencionales eran ineficaces en sus efectos, y los ataques de tos no solo no menguaban, sino que a veces se repetían con una intensidad cada vez mayor. Ernesto padre recordará aquellos tensos meses con una alta carga de dramatismo:

> El asma de Ernesto empezaba a afectar nuestras decisiones. Cada día aparecía una nueva restricción a nuestra libertad de movimiento y cada día nos encontrábamos más sometidos a esa maldita enfermedad.

Todo indicaba que el niño había adquirido un asma crónica, y la recomendación médica más persistente señalaba la necesidad de hallar para el enfermo un clima propicio que, si bien no curaría el asma, por lo menos detendría su alarmante progresión. En este caso, como era

común para las afecciones pulmonares y respiratorias, se sugería un clima seco, lo que equivalía en la práctica a abandonar cualquier deseo de regresar a Caraguatay. La provincia de Misiones, y más precisamente el clima húmedo de su selva, constituían un peligro latente para la salud del pequeño paciente.

Restaba, pues, levantar la casa y mudarse de inmediato. Buenos Aires apareció como la primera opción y, en comparación de la selva, pareció significativamente razonable. Sin embargo, al tiempo de establecerse en Buenos Aires, quedó claro que la salud de Teté no daba muestras de un cierto mejoramiento. Si Buenos Aires era mejor que Misiones, ello no significaba mecánicamente que era lo que el niño necesitaba. Así se lo hicieron notar los médicos a los padres de Teté quienes, por fin, aceptaron el consejo de trasladar a su hijo a las serranías cordobesas. El nuevo sitio escogido, efectivamente, otorgaba ciertas garantías de un resultado exitoso.

Así las cosas, la familia se aprestó, una vez más, a emprender una mudanza que no creían definitiva, sino circunstancial, por lo que no cerraron su casa de la Capital Federal. Escribe Anderson:

Durante varios meses viajaron ida y vuelta entre Córdoba y Buenos Aires, alojándose en hoteles y casas de alquiler, conforme los ataques de Ernesto disminuían y luego se agravaban sin una pauta aparente.

La situación creaba dificultades de todo tipo, entre ellas económicas, pero la más importante tenía que ver con los afectos. Ernesto padre se sentía frustrado e incapaz de continuar sus negocios, dado que no terminaba jamás de instalarse en un único lugar, y Celia deambulaba con cierto sentimiento de culpa que no dejaba de angustiarla.

De todos modos, en ambos primaba la salud de su hijo y no hay dudas de que realizaron todos los esfuerzos en pos de su mejoría.

Uno de los sitios al que la familia se había trasladado era la localidad serrana de Alta Gracia, ubicada a unos 40 kilómetros de la capital provincial y rodeada de lagunas y chacras. Allí se establecieron en el hotel "La Gruta", administrado por alemanes, adonde solían ir otras personas afectadas por males similares al de Ernestito.

Probarían suerte, pero esta vez durante cuatro meses continuos. No sospechaban siquiera que la próxima década de sus vidas giraría en aquella localidad cordobesa.

El aire puro y fresco de montaña hizo bien su trabajo, y paulatinamente el niño dio mues-

tras de mejoría. Alentados por la novedad, los Guevara Lynch-de la Serna se decidieron, finalmente, por establecerse por tiempo completo en aquella localidad, abandonando la vida errática de los últimos meses.

INFANCIA EN ALTA GRACIA

Establecidos en Alta Gracia, muy pronto la vida familiar se irá encauzando normalmente, aunque las mudanzas seguirán siendo una constante según el devenir de las estaciones. Ocupan alternativamente una vivienda en la Villa Carlos Pellegrini y otra finca en la Villa Nydia, donde les gusta pasar el mayor tiempo posible.

El aire seco, limpio y transparente, que atraía a turistas y tuberculosos –anota Castañeda– moderó los ataques asmáticos de Teté, si bien no los curaba ni los espaciaba demasiado. La enfermedad se tornó manejable debido al clima de Alta Gracia, a los cuidados médicos y a la personalidad del niño. Y, sobre todo, gracias a la excepcional devoción y cariño que aportaría la madre.

La vida se presentaba con cierta placidez mundana, alternándose los paseos por la zona, las cabalgatas y baños recurrentes en las lagunas

circundantes. La situación financiera de la familia distaba de ser holgada por esa química especial que imprimía sobre todo el padre, es decir, gastar generosamente sin promover nuevos ingresos, pero era lo suficientemente buena para sostener, justamente, un ritmo donde no faltaban las reuniones y cenas abundantes, el mantenimiento de tres sirvientas para el cuidado de los niños y las tareas hogareñas e incluso, más tarde, para pasar algunas vacaciones en Mar del Plata, centro de descanso que la aristocracia argentina privilegiaba.

La renta del campo de Misiones aportaba finalmente algunos recursos, pero especialmente provechosos eran los devenidos de una estancia cordobesa de Celia. En suma, eran suficientes para que Ernesto padre no tuviera siquiera que buscar una ocupación permanente en Córdoba, al menos como una necesidad económica.

Las cosas, no obstante, se complicarán cuando los precios internacionales de la yerba mate comiencen a bajar, brindándole al matrimonio una entrada de dinero más baja que la necesitada. De todos modos, a Ernesto padre no se le conoció trabajo alguno en Córdoba hasta 1941, cuando consiguió el contrato para remodelar el Club de Golf Sierras, que aportó renovadas finanzas. Igualmente, esos ingresos no

Ciudad balnearia de Mar del Plata, en Argentina. Este destino turístico estuvo reservado por muchísimos años a los sectores más acomodados de la sociedad argentina.

servirán para mucho más que para volver al tipo de administración usual en don Ernesto, es decir: gastándolos en un pasar cada vez mejor.

Más crecido, Ernestito jugará con otros niños y hará sus primeras amistades. Entre sus nuevos amigos estará Carlos Calica Ferrer, hijo de un médico especialista en enfermedades respiratorias al que los padres de Ernestito consultaban frecuentemente. Calica Ferrer estará estrechamente ligado al desarrollo de su amigo en los años venideros y su presencia será enorme por lo menos en dos acontecimientos de importancia: por un lado, será el promotor de la iniciación sexual de Ernesto, justamente con una

empleada doméstica que trabajaba para su familia; por otro lado, emprenderán juntos el segundo viaje por América, entre 1953 y 1954. Pero no nos adelantemos.

Por el momento, las salidas en bicicleta y las trifulcas con otras barras de niños de la zona serán lo común, y esas actividades apenas se verán interrumpidas por las continuas visitas a los médicos y el seguimiento de los más variados tratamientos contra el asma que incluían desde estrictas dietas y medicinas hasta la aplicación de fórmulas, tan misteriosas como curiosas, que las comadronas y curanderas que consultaban solían recomendarles.

Los testimonios de los protagonistas que vivieron intensamente aquellos años en los que el niño Ernesto era tratado de su asma señalan inequívocamente una misma cuestión: la familia en su conjunto tomaba todos los recaudos necesarios para morigerar los estragos de la enfermedad, pero a su vez todo parecía insuficiente. La ropa de cama se cambiaba continuamente, como así también los rellenos de las almohadas y los colchones para evitar la presencia de cualquier elemento que pudiera causarle al niño alguna alergia.

Los recuerdos del padre arriman una anécdota que retrata hasta donde se realizaban búsquedas con la intención de mejorar la salud de

Ernesto. Así fue como en pos de este objetivo, el padre llegó a probar suerte con una recomendación poco ortodoxa pero a la que le tenía cierta confianza por provenir de una bruja de la zona.

Una noche, por recomendación de la bruja en cuestión, Ernesto padre introdujo un gato entre las cobijas del niño. Aparentemente, el calor o la piel del animal podría ayudarlo en buena medida. A la mañana, las expectativas paternas se desmoronarían de una manera catastrófica. Como es de prever, el desdichado gato había muerto asfixiado y las piernas del niño daban cuenta de varios rasguños. Los ataques de tos, por supuesto, no se detuvieron.

La periodicidad de los ataques y su virulencia le otorgaron a toda la familia un entrenamiento tal que les permitía, aun con la angustia que reinaba durante su duración, controlar lo más posible las emociones. Por supuesto, quien más aprendió de este ejercicio fue el propio enfermo. El padre recordará años más tarde:

> Al sentir que le venían los ataques se quedaba quieto en la cama y comenzaba a aguantar el ahogo que se produce en los asmáticos durante los accesos de tos. Por consejo médico –agrega– yo tenía a mano un gran balón de oxigeno para, llegado el momento álgido de los accesos de tos, insuflarle al chico un chorro de aire oxígenado. El no quería acostumbrarse a esta panacea

> y aguantaba todo lo que podía, pero cuando ya no podía más, morado a causa de la asfixia, empezaba a dar saltos en la cama y con el dedo me señalaba su boca para indicar que le diera aire. El oxígeno lo calmaba inmediatamente.

Con estos rigores más o menos cotidianos, Ernesto fue creciendo.

Los tratamientos recomendados por los médicos incluían, además, una aproximación cautelosa a los ejercicios físicos, pero el pequeño parece no haber tomado al pie de la letra dicha cautela, y la familia no interpuso tampoco objeciones rigurosas, ya sea por falta de control directo o, simplemente, alentada al ver a su hijo realizando lo que cualquier joven de su edad. De esta manera, Ernesto incursionará cada vez más en deportes que, en primera instancia, parecían definitivamente vedados para él.

Afecto a la natación en lagunas y represas, muy pronto se entusiasmará también con el tenis de mesa y el fútbol, aunque este último lo dejará por lo general exhausto y al borde de una crisis respiratoria de la que solo, tirado en un costado del campo, se recuperará entre alarmantes jadeos.

Cuanto más difícil se presentaba la empresa, más empeño y obcecación demostraba. Lo físico era para él un desafío especial y un

límite que no estaba dispuesto a aceptar. En este sentido, Ernesto tenía una fuerte identificación con su madre; como señala Anderson, ambos:

> ...disfrutaban del peligro, eran personas de naturaleza rebelde, resuelta y obstinada [...]

Por entonces las fotografías nos muestran a un muchachito más o menos delgado, y de cabellera recortada pero siempre revuelta. Muy pronto esa estampa será para él casi una seña de identidad.

Si socialmente se las había arreglado para no quedar fuera de las habituales jornadas de juego de sus pares, no puede decirse lo mismo con la escolaridad regular. En verdad, los frecuentes ataques de asma –el clima serrano los había menguado pero nunca detenido del todo– le impidieron desarrollar la vida normal del escolar primario. De hecho, debió saltarse los dos primeros grados, de tal manera que su madre fue la que debió cumplir de hecho el rol de educadora.

En 1937, a punto de cumplir los nueve años, Ernesto se incorpora a la escuela pública –primero en la San Martín y luego en la Santiago de Liniers– completando cuatro años más tarde sus estudios iniciales. Por supuesto, la regularidad fue toda la posible, pero en ocasiones escasas, con ausencias de clase prolongadas,

El Che aprendió a nadar en la piscina del Hotel La Gruta en Alta Gracia.

según la intensidad de los ataques de asma que le sobrevenían.

También durante este periodo, alejado por momentos del colegio y, por supuesto, de cualquier actividad física, Ernesto incorpora dos adquisiciones que le acompañarán de por vida: la lectura y el ajedrez.

De aquellos años datan sus primeras lecturas y serán los géneros de aventuras y viajes extraordinarios los que más acapararán su atención y deleite. Excepcionales serán para él las obras de Emilio Salgari y Julio Verne, por ejemplo, cuyas fantásticas hazañas labrarán en su imaginación la indomable atracción por repetir-

las y recrearlas una y otra vez en sus sueños. No resulta extraño, pues, que en la década siguiente las reprodujera a su manera.

Pero la lectura misma será una aventura perdurable en la que le encantará perderse con el compromiso de su imaginación. Refugio ante las crisis y las adversidades, la lectura le daba en cambio un campo de dominio inimitable. Simbólicamente, la lectura era, además, lo no físico y, por lo tanto, la ausencia de los contratiempos de su físico real.

El hábito y refugio de la lectura, pues, lo acompañarán siempre, hasta el punto de que puede seguirse la trayectoria de su vida a través de fotografías que lo muestran hundiendo sus ojos en las profundidades de algún texto. Así lo retratarán sus padres en la cama o bajo la sombra cálida de algún árbol cordobés, pero así también se le verá en la cárcel mexicana, años más tarde, cuando su rumbo político se definiera decididamente por la revolución cubana. Y más tarde aun, cuando la cámara lo sorprenderá incluso leyendo montado en un burro, y en el Congo mientras aguarda por la comida, y en Bolivia sobre las ramas de un discreto árbol. Pero ya sobrevendrán esas imágenes más adelante.

Por el momento, Ernestito o Teté vivía en un clima ciertamente afectuoso, con una pene-

trante atención de su madre, como también de su tía Beatriz –con la que en el futuro mantendrá una intensa correspondencia– y con su abuela paterna Ana Isabel, de enorme influencia en el pequeño. De todos modos, alguna percepción de la crisis matrimonial de sus padres parece no haberle sido ajena, ya que varios testimonios aseguran frecuentes fugas a los bosques y montes serranos para evitar oír las temperamentales discusiones de Ernesto y Celia.

2

Política, medicina y amor

Apenas era un niño cuando el agitado mundo de la política llegó a su vida.

Algunos testimonios dan cuenta, por ejemplo, de que la Guerra del Chaco, que entre 1929 y 1935 libraron Paraguay y Bolivia, tuvo sobre el pequeño una marcada trascendencia, por supuesto merced a la influencia paterna.

Parece ser que el padre realizaba un prolijo y apasionado seguimiento del conflicto y Teté, posiblemente empujado por ese mismo apasionamiento, terminó incorporando la Guerra del Chaco como un juego entre sus amigos. Alguno de ellos recordará, muchos años más tarde, que unos "hacían" de paraguayos y otros de bolivia-

El "Humaitá" fue uno de los buques insignia de Paraguay. En imagen, la tripulación de dicha embarcación.

nos. Teté, en verdad, apenas era un niño de siete años cuando los sucesos finales de la guerra, por lo que no parece muy sólida la idea de que realmente haya tomado un partido definido. No obstante, jamás olvidará la agitación paterna con el tema y ese entusiasmo por causas políticas que aún no entendía debieró, seguramente, conmoverlo y excitar su fantasía.

Paco Ignacio Taibo II subraya cuánto tuvo que ver esa atmósfera familiar en la producción de sus fantasías, por un lado, y en la introducción de las problemáticas políticas y sociales, por otro:

> ... a Ernesto se le cae la baba oyendo a su padre narrar en las sobremesas las historias familiares [...] A las aventuras del abuelo se suman en 1937 los peligros de la narrativa de la realidad, cuando llegan exiliados los hijos del doctor republicano español Aguilar [...] Con ello, en la radio que acaba de comprar su padre y en los periódicos, entra en la vida del joven Guevara, a los nueve años, la Guerra Civil española.

En efecto, por entonces los Guevara Lynch-de la Serna recibían a refugiados que huían de las ingratitudes de la guerra en Europa. Entre ellos, la esposa y los hijos del doctor González Aguilar (amigo de Manuel Azaña y colaborador de Juan Negrín, último presidente del gobierno

Republicano), quienes fomentarán con Ernestito una relación de amistad duradera. La relación con Paco, Juan y Pepe se prolongará aun más al compartir el Liceo Deán Funes, y el viaje de unos 35 kilómetros que deberán realizar cada día desde Alta Gracia hasta la escuela, en la capital provincial.

Pero los Aguilar no eran los únicos que traían consigo la problemática de la Guerra Civil. Uno de los generadores de la recepción de la tragedia española vino de la mano de Cayetano Córdova Iturburu, el esposo de su tía Carmen, quien en 1937 viajó a España en calidad de cronista del diario *Crítica*, de la Capital Federal.

Jorge Castañeda señala que toda la familia, de inocultables inclinaciones republicanas, aguardaba expectante las noticias del frente:

> En 1937 partió a España su tío Cayetano Córdova Iturburu. Periodista y miembro del Partido Comunista Argentino, Córdova fue contratado como corresponsal extranjero por el diario "Crítica" de Buenos Aires. La tía Carmen y sus dos hijos se trasladaron a Alta Gracia a vivir con su hermana durante la estancia de su marido en España. De modo que todos los despachos, impresiones y artículos transmitidos desde el frente por Córdova Iturburu pasaban por las villas y chalets de los Guevara en Alta Gracia. La llegada de las noticias de ultramar se convertía en un acontecimiento; el contenido de las misivas aumentaba la excitación

provocada por su mismo arribo. Córdova mandaba además en ocasiones revistas y libros españoles; de ellos procedía también la información, detallada y constante, que aterrizaba en la imaginación de Ernesto chico. Se grabaría allí para siempre.

No menos importantes serán las relaciones con otros refugiados, como el general Jurado y el compositor Manuel de Falla, entre otros. Todos ellos dejaron en el joven Guevara un especial sentido de solidaridad con la causa republicana.

Las alternativas de la Guerra Civil española eran seguidas, pues, de manera intensa, y los niños pasaban largas veladas escuchando a sus mayores acerca de las inequidades de los fascistas y falangistas españoles, como así también de los esfuerzos republicanos y en general de toda la izquierda para doblegarlos. A su manera, Ernestito se comprometió con los sucesos y era común verlo jugar sobre un mapa de España movilizando fuerzas de uno y otro bando, o señalando con banderitas las regiones y los municipios tomados por aquellos.

La finalización dramática de la Guerra Civil española no sería el final de la guerra en Europa, sino más bien su antesala. Casi inmediatamente después comenzaría la Segunda Guerra Mundial y Ernesto padre, señala Castañeda:

> ...fundará la sección local de Acción Argentina, en cuyo sector infantil de inmediato inscribirá a su hijo. Típica organización antifascista, la Acción Argentina hará un poco de todo en esos años: celebrar mítines y realizar colectas a favor de los aliados, combatir la penetración nazi en la Argentina, descubrir infiltraciones de ex tripulantes del acorazado Graf Spee (atracado por los alemanes en la bahía de Montevideo en 1940) y difundir información sobre el avance de las fuerzas aliadas en la guerra.

Ernesto hijo solía acompañar a su padre en cada uno de los actos organizados o cuando debía realizar una u otra investigación concerniente a alguna demanda contra grupos nazis establecidos en Córdoba, especialmente en La Cumbrecita y en Villa General Belgrano, lo que también motivó al pequeño a estar atento a descubrir espías nazis en Alta Gracia.

DE ERNESTITO A FUSER

Travieso, inquieto, desaliñado siempre, soñador, rebelde e irreverente, Ernestito fue creciendo en un ambiente familiar que de alguna manera le permitía explorar cada uno de estos aspectos que, sin duda, había heredado de sus padres.

Eran años de formación de una personalidad y crecimiento.

En 1942, en un contexto internacional signado por la Segunda Guerra Mundial y la lucha antifascista, ingresó finalmente al colegio secundario.

La Argentina por entonces también entraba a un periodo caracterizado por grandes cambios sociales, económicos y culturales y una sostenida participación popular en la política local.

El peronismo haría su presentación en sociedad apenas unos pocos años más tarde, y el entramado político cambiaría de manera definitiva en la nación. Aunque el muchachito no se comprometerá activamente en ello, ninguno de los sucesos que por entonces marcarán la historia nacional le resultarán indiferentes. Pero no nos adelantemos.

La escuela en la que Ernesto fue inscrito era la Dean Funes, situada en el barrio Pueyrredón de la ciudad de Córdoba, razón por la cual, como queda dicho, debía trasladarse desde Alta Gracia para cursar sus estudios; poco después, los padres se establecieron en la capital, atenuando los esfuerzos que debía hacer el muchacho.

En la escuela secundaria Ernesto hará nuevos y grandes amigos que, como ya era costumbre en su breve vida, serán de enorme influencia

en su futuro inmediato. Entre ellos destacan Tomás Granado y su hermano Alberto, que aun siendo seis años mayor que Ernesto, y con una carrera universitaria ya iniciada, congeniará como nadie con él. El futuro les reservará a ellos una relación y una aventura entrañables.

La vida de Ernesto se limitaba por entonces al estudio y las salidas con amigos, aunque por sus habituales ataques de asma muchas veces pasaba los días reconcentrado en su mayor distracción: la lectura.

La avidez con la que devoraba cuanto libro caía en sus manos resulta admirable, y ya a los catorce años tenía una cultura muy superior a la de cualquiera de sus compañeros y, en general, de la mayoría de los jóvenes de su entorno. Años más tarde el padre señalará orgulloso que su cuarto era un mundo colmado de libros.

Sin duda, Ernesto tenía una excelente guía de lectura en el entorno familiar y muy pronto desarrolló una especial inclinación por la poesía, entregándose a las obras de, entre otros autores, Antonio Machado, Federico García Lorca, Pablo Neruda y Charles Baudelaire, este último, incluso, en su idioma original que le había enseñado Celia. Recorre amorosamente las páginas de Dumas, Kafka, Stevenson, Cervantes, Quiroga, London, Zola, Quevedo, Faulkner y Boccaccio, y paulatinamente se irá adentrando

en el universo filosófico de la mano de Sartre, Camus e Ingenieros. Tampoco escapará a su atenta mirada la psicología, incorporando autores como Adler, Jung y Freud, y la política, a través de sus iniciales lecturas de Marx y Engels, aunque por el momento serán Gandhi y Nehru quienes más lo seduzcan.

Como un desafío imposible de obviar, Ernesto se esmera en poder realizar deportes, más allá de lo médicamente aconsejable. Por entonces, Alberto Granado entrenaba a un equipo local de rugby: "Estudiantes". Será su hermano Tomás quien le insistirá en tomar a prueba a Ernesto, el que de inmediato se incorpora a una preparación física intensa dos veces por semana.

Reconcentrado, muchas veces pálido y agotado como consecuencia de algún reciente ataque de asma, Ernesto se ponía a disposición del entrenador inmediatamente después de inhalar su medicación, y raras veces no quedaba exhausto tendido a un lado del campo de deportes. No obstante, una y otra vez insistía en prepararse y jugar los partidos hasta donde sus fuerzas lo permitieran. Era común verlo gritar "¡Aquí viene Fuser!", apelativo que él mismo se inventara y que evidentemente le placía como identificación: Fuser significaba Furibundo Serna.

Alberto Granado estaba encantado con el muchacho que hacía méritos extraordinarios, a

pesar de su notoria incapacidad respiratoria. También le resultaban atractivos sus sueños de aventura, los mismos que él también alentaba. No resulta extraño, pues, que a pesar de la diferencia de edad, paulatinamente se hicieran grandes amigos, y comenzaran a pergeñar planes comunes para el futuro.

Algunas fotografías de la época nos devuelven a un Ernesto de mirada inquisidora, a veces preocupado, pero habitualmente con una franca sonrisa. Su aspecto parece, además, más desaliñado e informal que nunca. En verdad, por aquellos años Ernesto contraerá uno de sus peores defectos: una absoluta prescindencia de higiene, que también se hacía notar frecuentemente en su manera de vestir, ya no solo desacartonada, sino también sucia y olorosa. Paco Ignacio Taibo II refiere que:

> Sus fobias al agua fría, que le desencadena a veces los ataques de asma, se han convertido en unos hábitos higiénicos poco sólidos. Su falta de amor por los baños y las duchas lo acompañará el resto de los días de su vida.

Incluso gustaba ufanarse de la cantidad de semanas que podía pasar sin bañarse, y exhibía orgulloso la "semanera", una camisa que raras veces cambiaba. No resulta extraño que también

por entonces se le comience a conocer por un nuevo apodo: Chancho, que como el Fuser que se había inventado daba exacta cuenta de alguna de sus principales características. Aun así, casi todos los testimonios de quienes fueron sus amigos por entonces destacan que gustaba a las chicas, justamente por su porte rebelde, distinto, absolutamente personal. Dice al respecto Anderson:

> A los diecisiete años, Ernesto era un joven sumamente atractivo: esbelto, de hombros anchos y cabello castaño oscuro; intensos ojos pardos, tez clara y una confianza reservada y serena que seducía a las chicas. "La verdad es que todas estábamos un poco enamoradas de Ernesto", confiesa Miriam Urrutia, otra chica cordobesa de buena familia. A una edad en que los varones se esfuerzan por impresionar a las chicas, la despreocupación de Ernesto con su aspecto personal resultaba sumamente seductora. Una noche apareció con una muchacha de sociedad muy bien vestida en el cine Ópera, donde su amigo el "facho" Rigatusso vendía caramelos. Como siempre, Ernesto vestía un viejo y enorme "trench coat" con los bolsillos abultados por alimentos y un termo para mate. Al ver a Rigatusso, abandonó ostensiblemente a su amiga para conversar con su amigo de "clase inferior". Ernesto desarrollaba rápidamente la personalidad social que dejaría una impresión perdurable en sus coetáneos cordobeses. Su actitud despreocupada, su desprecio por la formalidad y su intelecto combativo ya eran rasgos visibles de su personali-

> dad y se acentuarían durante los años siguientes. Su sentido del humor también era provocador, afrontaba las normas aceptadas del decoro social, aunque solía disimularlo con burlas dirigidas a sí mismo.

Anderson también recoge el testimonio de Alberto Granado, quien le declara:

> Tenía varios apodos. También lo llamaban "el loco" Guevara. Le gustaba jugar al chico malo... Por ejemplo, se jactaba de bañarse muy poco. Por eso también lo llamaban "el chancho". Por ejemplo, solía decir: "Hace veinticinco semanas que no lavo mi camiseta de rugby".

Su actitud provocadora continuó a lo largo de la escuela, alimentando una imagen discutidora, casi molesta y siempre al filo de la provocación abierta.

De todos modos, el amor aún constituía una asignatura pendiente, a pesar de que prontamente se iniciará sexualmente, como queda dicho, con la empleada doméstica de los Ferrer, una muchachita de no más de quince años.

El año 1945, clave para la historia argentina, lo encontrará sumido en la elaboración de un diccionario filosófico que prolongará durante años, llegando a cubrir siete cuadernos con citas y reflexiones. Ordenado alfabéticamente, en él

Ernesto transcribirá breves biografías y pensamientos de los más variados autores, como H. G. Wells, Bertrand Russell, Federico Nietzsche, Sigmund Freud y hasta Adolf Hitler.

No obstante sus inclinaciones intelectuales y las convulsiones políticas que vive el país con el emergente peronismo, no se le conoce militancia política alguna, aunque es evidente que sus inclinaciones casi naturales se deslizan con fuerza hacia la izquierda socialista. De todos modos, no se involucrará activamente con ningún movimiento estudiantil ni político, aunque más por cierta caracterización que hace de la oferta política en boga que por indiferencia.

En efecto, el peronismo emergente no le produjo apatía, sino incluso cierta simpatía en un marco familiar fuertemente antiperonista, como solía ser el pensamiento predominante entre las clases más acomodadas.

Probablemente, la errática posición del peronismo frente a los fascismos europeos fue un factor determinante para que Ernesto padre desarrollara una inquina particular con el movimiento dirigido por Perón, a quien le atribuía, justamente, características fascistas y germanófilas.

Ernesto hijo, por el contrario, se entusiasmaba con la participación popular local y, según dictan los testimonios de su entorno, solía reco-

Adolf Hitler fue uno de los responsables de la Segunda Guerra Mundial. El Che seguía con interés el rumbo de la contienda.

mendar a las empleadas domésticas votar en las elecciones al peronismo.

Con los años, Ernesto revalorizaría aún más la importancia de Perón y su movimiento, declarando en alguna de las correspondencias que mantuvo tras la caída del líder su profundo pesar por el derrocamiento del mismo:

> Te confieso con toda sinceridad –escribe a su madre– que la caída de Perón me amargó profundamente, no por él, por lo que significaba para toda América, pues mal que te pese y a pesar de la claudicación forzosa de los últimos tiempos, Argentina era el paladín de todos los que pensamos que el enemigo está en el norte.

Pero así como respecto al peronismo mantuvo una posición distante a la predominante en su entorno familiar, con la izquierda organizada sostuvo una actitud similar, rechazando de plano la política del Partido Comunista, al que le achacaba un singular sectarismo. De alguna manera, Ernesto manifestaba una conciencia esencialmente antiimperialista, que no abonaba especialmente en ninguna organización partidaria.

Este pensamiento se consolidará en él aun más a partir del descubrimiento de la literatura social latinoamericana, que de la pluma de autores como Jorge Icaza y Miguel Ángel Asturias le abrirá los sentimientos hacia una América profunda, miserable, indígena, y siempre desfoliada en sus recursos naturales y humanos por las grandes empresas y monopolios norteamericanos.

Hacia 1946 Ernesto culmina sus estudios secundarios en el colegio Dean Funes y comienza a organizar su vida laboral de manera constante. En un principio, con la mente en una futura carrera universitaria como ingeniero, realiza un curso de especialista en suelos y trabaja en el laboratorio de la Dirección Provincial de Vialidad, primero a media jornada y luego, ya libre de asistir al colegio, a jornada completa. Los beneficios extras de su trabajo los comparte con su amigo Alberto Granado,

además de que debe recorrer varios pueblos y ciudades de Córdoba en una vida errante que comenzaba a resultarle muy placentera.

La opción médica

Pero no todo marchaba sobre rieles, y 1947 será un año inquietante para el muchacho.

Los negocios del padre finalmente sucumbieron, en buena medida por la pésima administración que Guevara Lynch llevaba adelante, y el matrimonio siguió la misma suerte. Derrochador, mujeriego, siempre irresponsable, Guevara Lynch no tenía manera de sostener su relación con una Celia cada vez más cuestionadora y frustrada. Además, la esposa supo de algunas aventuras amorosas de su marido y la relación alcanza su punto más frustrante y doloroso. La separación, pues, desembocó en aquel año como un destino fatal, que se cumpliría en el siguiente.

Paralelamente, un acontecimiento dramático aceleraría el regreso familiar a Buenos Aires: la enfermedad de su querida abuela, postrada en un hospital. Ernesto pidió entonces precisiones: si se trataba de una situación sin retorno, estaba dispuesto a renunciar a su trabajo –que por el momento lo retenía en la ciudad de

Villa María– y quedarse junto a su abuela hasta los últimos momentos. Así será, y tras estar con ella diecisiete días sin separarse de su lecho, la anciana muere.

Mucho se ha especulado sobre la importancia de este suceso en la vida de Ernesto. Lo cierto es que a partir de ese momento hará un cambio trascendental en sus inclinaciones: abandonará cualquier intento de seguir la profesión de ingeniero y se decidirá abrupta y enfáticamente por la medicina.

¿Fue la enfermedad de su abuela lo que le cambió sus preferencias universitarias? Es probable que ello haya incidido, aunque también se sumaron otras sobradas motivaciones. De hecho, su propia experiencia como enfermo crónico debió resultar un aliciente de importancia. Además, la enfermedad de su madre, a quien le detectaron tempranamente un cáncer mamario y que fuera por primera vez operado en 1945, y las insistencias de su amigo Alberto Granado, ya por entonces a punto de egresar de la Facultad de Farmacia y Bioquímica, debieron haber influido en sus motivaciones para dedicarse a las ciencias médicas.

Como fuere, Ernesto comenzó a cursar la carrera de medicina. Apenas transcurrido su primer año será llamado a incorporarse al servicio militar obligatorio, aunque como era previsi-

Juan Domingo Perón asumiendo la presidencia. Su vínculo con el pueblo anunciaba un fuerte giro político en Argentina.

ble en virtud de su afección asmática será inmediatamente considerado no apto para el mismo.

La vida universitaria se alterna con nuevas relaciones de amistad e infructuosos intentos de hacer negocios para vivir sin dependencias. En lo primero le irá mucho mejor que en lo segundo.

De aquellos años data su amistad con la cordobesa comunista Berta Gilda Infante, “Tita”, una relación que será platónica en su desarrollo, pero que también le otorgó a los jóvenes el “compinche” necesario para una etapa de formación plena de alternativas novedosas y a veces conflictivas. La relación se mantendrá a lo

largo del tiempo, con una identificación afectiva, cultural e ideológica muy fuerte.

También de aquellos años son sus intentos, de inconfundible herencia paterna, de hacer grandes negocios: primero con un insecticida a base de gamexane que por su potencia deciden llamarlo alternativamente "Al Capone", "Atila" o "Vendaval", y que si bien al principio pareció promisorio debió ser abandonado porque las inhalaciones de sus componentes descomponían de continuo a todos los que trabajaban en ello. Al respecto, señala Kalfon:

> La historia más reveladora del carácter emprendedor de Ernesto es la de la fabricación del insecticida a la que él y sus acólitos se lanzan sin darse cuenta del peligro. Ernesto había descubierto que un insecticida contra las langostas autorizado por el Ministerio de Agricultura, servía también para exterminar una multitud de insectos domésticos, cucarachas, hormigas, etc. Añadiendo una buena dosis de talco, la cosa podía producir una especie de polvos de la madre Celestina utilizables en la vida cotidiana. Convierte pues el garaje de la planta baja en laboratorio, y comienza a llenar pequeños botes con el polvo milagroso que todas las amas de casa del barrio van a comprarle, pues es muy eficaz. Pero no ha contado con los efectos tóxicos del insecticida sobre el propio hombre. Su socio Figueroa abandona...

La historia termina abruptamente, cuando era un hecho que si continuaban con ella nadie quedaría vivo para disfrutar de su "beneficio".

Luego persistió en un negocio aun más arriesgado, como fue la compra de una gran remesa de zapatos para ser vendidos a un precio mayor al menudeo. La decepción sería enorme al comprobar que la remesa incluía una buena cantidad de zapatos sin su par. No sería extraño ver, tiempo después, al propio Ernesto lucir en algunas oportunidades dos zapatos de distinto color.

La permanencia de Ernesto en Buenos Aires continuará desde 1947 hasta julio de 1952, viviendo primero en la casa de la abuela fallecida, muy cerca de la Facultad de Medicina, y luego en una casa comprada por su padre en el barrio de Palermo.

Fracasados sus intentos de gran empresario independiente, comenzará a trabajar como asistente en una clínica especializada en alergias, dirigida por el doctor Salvador Pisani, a la vez que alternaba estudios con el ejercicio deportivo que pudiera realizar, practicando rugby en el San Isidro Club, en el Yporá Rugby Club y en el Atalaya Polo Club. También editó por entonces una publicación dedicada a ese deporte, según algunos la primera de su tipo, llamada *Tackle*, en la que firmaba con el seudónimo Chang-cho,

una jocosa orientalización de su viejo apelativo Chancho.

En todo el periodo, jamás abandonó su afición lectora, como tampoco la continuación de su diccionario filosófico, en el que el marxismo comenzó a tener cada vez un papel más importante.

Por fin, el amor

El amor le correspondió hacia 1950, cuando conoció a una jovencita de dieciséis años de la que se enamoró perdidamente: la cordobesa María del Carmen Ferreyra, "Chichina", perteneciente a una de las familias más ricas de Córdoba. Por supuesto, la oposición de la familia de Chichina fue absoluta, sobre todo por lo chocante que le resultaba la postura siempre rebelde y provocativa del pretendiente. Señala Paco Ignacio Taibo II:

> En octubre de 1950, durante una boda en la casa de los González Aguilar, en Córdoba, conoce a una joven, María del Carmen Ferreyra, "Chichina". Su amigo José González lo cuenta rápido: "En uno de esos impactos fulminantes de la juventud se enamoraron". Chichina es una adolescente simpática, bella, de grandes ojos, el pelo caído sobre el rostro y con muchos pretendientes. Pero la veloz relación no estará

exenta de problemas. Ernesto es un hijo de la clase media venida a menos, Chichina es hija de la rancia oligarquía cordobesa. Sus padres son dueños de La Malagüelia, una hacienda con dos enormes canchas de tenis, campos para jugar polo, caballos árabes, una iglesia dentro de la hacienda, en la que los lugares de la familia estaban segregados de los de los peones.

Continúa Paco Ignacio Taibo II:

Ernesto visitará su casa en mangas de camisa y sin corbata, y cuando los padres descubren que la cosa va en serio, parecerá no hacerles gracia. Su amiga Dolores Moyano, quien resulta prima de Chichina, resumirá lúcidamente: "Ernesto se enamoró de la princesa, sorprendente, inesperado, todo lo que despreciaba y ella también. Una relación que tenía el aura de lo imposible". Los primeros combates en la guerra Guevara-Ferreyra serán extraños. González Aguilar cuenta: "Se reían de su sempiterna camisa de nailon, que lavaba cuando se bañaba con ella puesta, y se divertían con su informalidad y desaliño que en aquella tonta edad, a mí, me avergonzaba un poco. Pero le escuchaban atentamente cuando hablaba de literatura, de historia o de filosofía y cuando narraba anécdotas de sus viajes"; y Dolores Moyano completa: "El hecho de que Ernesto no le prestara atención a sus ropas, pero tratara de parecer más allá de la moda, era uno de los tópicos de conversación favoritos de nuestros amigos. Uno tenía que conocer la mentalidad de la oligarquía provinciana

Ernesto junto a Chichina durante un breve paseo.

para apreciar el sorprendente efecto de la apariencia de Ernesto". Obsesionados por sweaters ingleses, botas de cuero y corbatas de seda, "la semanera" de nailon de Ernesto no podía menos que sacarlos de quicio, pero el estilo Guevara lograba la victoria y, al llegar a una reunión, en lugar de achicarse por sus pobrezas ante las bienes de la oligarquía, su desenfado se imponía.

Así las cosas, la relación con Chichina progresó y se profundizó en forma directamente proporcional a la desesperanza de la familia de la muchacha.

Pero en el horizonte de Guevara estaba el recorrido de aquella América que descubría en la literatura. Y ese llamado intenso y seductor podía más que cualquier atadura.

Por entonces sus aires de viajero ya habían dado su fruto primigenio. El 1 de enero de 1950 realizó su inaugural viaje en solitario, siendo su vehículo una bicicleta con motor marca “Cucchiolo”. El trayecto, sin mayores medios económicos, incluía la visita a su amigo Alberto Granado en la localidad de San Francisco y al resto de sus amigos que se hallaban en la capital cordobesa. Luego continuó hacia el noroeste, donde recorrió las provincias de Santiago del Estero, Tucumán, Salta, Jujuy, Catamarca, La Rioja, San Juan y Mendoza, completando un periplo de 4.500 kilómetros. De aquella experiencia data una costumbre que jamás abandonará: la escritura de diarios, a manera de los viajeros y exploradores que conoció en los libros de aventuras de su niñez.

Al regresar a Buenos Aires se encontró con una grata sorpresa: la empresa fabricante del motor de su bicicleta le ofrecía realizar una publicidad que incluía una foto del viajero, montado en su imperturbable máquina. La foto, la primera que se conoce de Ernesto en un medio masivo, aparecerá en la revista *El Gráfico* del 19 de mayo de 1950. Por entonces

nadie suponía que, años más tarde, todos los principales medios de noticias retratarían su figura, aunque ciertamente en situaciones muy distintas.

Un año más tarde, contratado como paramédico de a bordo en la flota de la petrolera estatal Yacimientos Petrolíferos Fiscales (YPF), Ernesto hará su primer viaje en barco, recorriendo las costas desde el puerto patagónico de Comodoro Rivadavia hasta Trinidad Tobago, haciendo escala en numerosas ciudades de Brasil, la Guayana Británica y Venezuela.

Decididamente, los viajes le entusiasmaban.

3

Descubriendo América

Hacia fines de 1951 Ernesto y Alberto Granado comenzarán a planificar un viaje de envergadura por la América andina. Una comunidad grande de intereses culturales unía a los dos amigos, amén de sus similares preferencias por la aventura y el descubrimiento de nuevos mundos. Una inquietud común los atraía particularmente: la vida y los tratamientos en los leprosarios, donde se fundían tanto intereses científicos y médicos como sociales. Por entonces, Ernesto ya había completado parte de su carrera de médico; Alberto, en cambio, ya ostentaba orgulloso su título de doctor en Biología.

El Che revisando a "La Poderosa"

El viaje presuponía, además, por lo menos interrumpir el noviazgo de Ernesto con Chichina. Guevara Lynch recordaría más tarde una conversación en la que su hijo le dijo sin más: "Si me quiere, que me espere". Necesitaba sin duda responder a un llamado muy íntimo que lo llevaba siempre a desandar los caminos, esta vez, en palabras del padre:

> ...para empaparse en la miseria humana presente en cada recodo de las sendas que recorrería y para investigar las causas de esa miseria.

El propio Ernesto escribirá en su diario de viaje cómo llegaron los amigos a proyectar la aventura:

> Así quedó decidido el viaje que en todo momento fue seguido de acuerdo con los lineamientos generales con que fue trazado: improvisación. Los hermanos de Alberto se unieron y con una vuelta de mate quedó sellado el compromiso ineludible de cada uno de no aflojar hasta ver cumplidos nuestros deseos. Lo demás fue un monótono ajetreo en busca de permisos, certificados, documentos, es decir, saltar toda la gama de barreras que las naciones modernas oponen al que quiere viajar. Para no comprometer nuestro prestigio quedamos en anunciar un viaje a Chile; mi misión más importante era aprobar el mayor número posible de materias antes de salir; la de Alberto, acondicionar la moto para el largo recorrido y estudiar la ruta. Todo lo trascendente de nuestra empresa se nos escapaba en ese momento, solo veíamos el polvo del camino y nosotros sobre la moto devorando kilómetros en la fuga hacia el norte.

Las finanzas de los muchachos eran ciertamente insuficientes y fuera de escala para el trayecto proyectado. No obstante, con obstinación decidieron realizar la travesía en "La Poderosa II", nombre con el que Alberto había bauti-

zado a su moto Norton de 500 mm que, en verdad, poco honor le hacía a su nombre.

Así las cosas, a fines de diciembre de ese mismo año iniciarán, pues, una experiencia que les resultará trascendental y que se extenderá hasta julio del año siguiente, conociendo numerosísimas localidades, parajes y ciudades de su país, Chile, Perú, Colombia y Venezuela.

El primer tramo del viaje estará dedicado a continuar con las despedidas. Así, tras llegar a Buenos Aires, parten el 4 de enero para Miramar donde llegan nueve días más tarde; allí se encuentra Chichina, disfrutando de las vacaciones familiares. Entre el 16 y el 21 recorren Bahía Blanca, y rumbo a la cordillera llegan el 25 a Choele Choel. El último día del mes los encuentra en San Martín de los Andes, y para el 11 de febrero ya están en Bariloche. Merced a las bondades de un patrón de barcaza que asiente transportarlos a cambio de trabajo, cruzan la frontera chilena, y ocupan lo que queda del mes para alcanzar Peulla, Temuco, Lautaro y Los Ángeles.

Atrás quedaban semanas de dormir a cielo abierto, en puestos policiales y en guardias hospitalarias, y una dieta por demás insuficiente. También algunos ataques de asma. Circunstancialmente, a veces tenían los estómagos llenos.

expertos argentinos en

Sudamérica en

en Temuco y desean visitar

El diario chileno *El Austral* de Temuco entrevistó a Alberto Granado y a Ernesto Guevara por la conferencia sobre lepra que le habían brindado a los médicos de dicho país.

En Chile conocieron a varios médicos a quienes los argentinos supieron dar –según anota Ernesto en su diario:

> ...conferencias sobre leprología, bien condimentada, lo que provocó la admiración de los colegas trasandinos... que no sabían una papa de lepra y de leprosos y confesaron honestamente no haber visto ninguno en su vida.

De aquellos días data su impredecible lanzamiento a la fama local, cuando un diario de Temuco, *El Austral*, entrevistó a los dos amigos bajo la ostentosa presentación de: *Dos expertos argentinos en leprología recorren Sudamérica en motocicleta*. Fueron aquellos médicos chilenos quienes les informaron acerca de cierto ínfimo número de enfermos en la isla de Pascua.

Ernesto y Alberto, entonces, redefinieron su ruta: el próximo objetivo sería llegar a la dichosa isla.

Por entonces el viaje ya había dado su primera baja: "La Poderosa II", que quedó exhausta y sin retorno. El trampolín a la isla de Pascua era Valparaíso, adonde arribaron transportados por un camión el 7 de marzo, tras haber pasado por la capital del país.

Es probable que el aspecto de vagabundos que los caracterizaba no haya ayudado en nada

para conseguirse pasajes gratis a la soñada isla. El sueño, pues, quedó trunco. Hacia el norte, solo quedaban el desierto y las salinas chilenas, y los muchachos decidieron, si acaso era posible, saltar semejante trayecto por mar.

Con la tozudez de la que solían ufanarse, se largaron entonces a conseguir una embarcación que los llevara. La suerte, parece ser, no los favoreció demasiado, y la única alternativa que les quedó fue la de viajar de polizones. El asunto parecía fácil, pero no lo fue. Escribe Guevara en su diario:

> Pasamos la aduana sin ninguna dificultad y nos dirigimos valientemente a nuestro destino. El barquito elegido, el "San Antonio", era el centro de la febril actividad del puerto, pero, dado su reducido tamaño, no necesitaba atracar directamente para que alcanzaran los guinches, de modo que había un espacio de varios metros entre el malecón y él. No había más remedio que esperar a que el barco se arrimara más para subir entonces, y filosóficamente esperábamos sentados sobre los bultos el momento propicio. A las doce de la noche se cambió el turno de obreros y en ese momento arrimaron el barco, pero el capitán del muelle, un sujeto con cara de pocos amigos, se paró en la planchada a vigilar la entrada y salida del personal. El guinchero, de quien nos habíamos hecho amigos en el ínterin, nos aconsejó que esperáramos otro momento porque el tipo era medio perro, y allí iniciamos una

larga espera que duró toda la noche, calentándonos en el guinche, un antiguo aparato que funcionaba a vapor. El sol salió y nosotros siempre esperando con el bagayo en el muelle. Ya nuestras esperanzas de subir se habían disipado casi por completo cuando cayó el capitán y con él la planchada nueva que había estado en compostura, de modo que se estableció contacto permanente entre el "San Antonio" y tierra. En ese momento, bien aleccionados por el guinchero, entramos como Pedro por su casa y nos metimos con todos los bultos a la parte de la oficialidad, encerrándonos en un baño. De ahí en adelante nuestra tarea se limitó a decir con voz gangosa: "no se puede", o "está ocupado", en la media docena de oportunidades en que alguien se acercó. Las doce eran ya y recién salía el barco, pero nuestra alegría había disminuido bastante, ya que la letrina tapada, al parecer desde hacía bastante tiempo, despedía un olor insoportable y el calor era muy intenso. Cerca de la una, Alberto había vomitado todo lo que tenía en el estómago, y a las cinco de la tarde, muertos de hambre y sin costa a la vista, nos presentamos ante el capitán para exponer nuestra situación de polizones. Este se sorprendió bastante al vernos de nuevo y en esas circunstancias, pero para disimular delante de los otros oficiales nos guiñó un ojo aparatosamente mientras nos preguntaba con voz de trueno:

–¿Ustedes creen que para ser viajeros lo único que hay que hacer es meterse en el primer barco que

encuentran? ¿O han pensado las consecuencias que les va a traer esto?

La verdad es que no habíamos pensado nada. Llamó al mayordomo y le encargó que nos diera trabajo y algo de comida; muy contentos devoramos nuestra ración: cuando me enteré que yo era el encargado de limpiar la famosa letrina, la comida se me atragantó en la garganta, y cuando bajaba protestando entre dientes, perseguido por la mirada cachadora de Alberto, encargado de pelar las papas, confieso que me sentí tentado a olvidar todo lo que se hubiera escrito sobre reglas de compañerismo y pedir cambio de oficio. ¡Es que no hay derecho! Él añade su buena porción a la porquería acumulada allí, y la limpio yo.

Después de cumplir a conciencia nuestros menesteres, nos llamó nuevamente el capitán, esta vez para recomendarnos que no dijéramos nada sobre la entrevista anterior, que él se encargaría de que no pasara nada al llegar a Antofagasta, que era el destino del buque. Nos dio para dormir el camarote de un oficial franco de servicio y esa noche nos convidó a jugar a la canasta y tomamos unas copitas de paso. Después de un sueño reparador nos levantamos con todo el consentimiento de que es exacto ese refrán que dice "escoba nueva barre bien", y trabajamos con gran ahínco dispuestos a pagar con creces el valor del pasaje. Sin embargo, a las doce del día nos pareció que nos estaban apurando demasiado y a la tarde ya estábamos definitivamente convencidos de que somos un par de vagos de la más pura cepa concebible. Pensábamos

dormir bien y trabajar algo al día siguiente, amén de lavar toda nuestra ropa sucia, pero el capitán nos invitó nuevamente a jugar a las barajas y se acabaron nuestros buenos proyectos. Aproximadamente una hora invirtió el mayordomo, bastante antipático, por cierto, para conseguir que nos levantáramos a trabajar. A mí me encargó que limpiara los pisos con querosén, tarea en que invertí todo el día sin acabarla; el acomodado de Alberto, siempre en la cocina, comía, más y mejor, sin preocuparse mayormente por discriminar qué era lo que caía en su estómago.

Por la noche, luego de agotadores partidos de canasta, mirábamos el mar inmenso, lleno de reflejos verdiblancos, los dos juntos, apoyados en la borda, pero cada uno muy distante, volando en su propio avión hacia las estratosféricas regiones del ensueño. Allí comprendimos que nuestra vocación, nuestra verdadera vocación, era andar eternamente por los caminos y mares del mundo. Siempre curiosos; mirando todo lo que aparece ante nuestra vista. Olfateando todos los rincones, pero siempre tenues, sin clavar nuestras raíces en tierra alguna, ni quedarnos a averiguar el sustrato de algo; la periferia nos basta. Mientras todos los temas sentimentales que el mar inspira pasaban por nuestra conversación, las luces de Antofagasta empezaron a brillar en la lejanía, hacia el nordeste. Era el fin de nuestra aventura como polizones, o, por lo menos, el fin de esta aventura, ya que el barco volvía a Valparaíso.

Tres días duró aquel recorrido que finalizó, por fin, el 11 de marzo, al arribar a Antofagasta. Desde allí marcharían en camión hacia Chuquicamata, una localidad cuprífera, y luego hacia el extremo norte, buscando la frontera con el Perú.

La mirada de Ernesto sobre paisajes y personas suele ser hondamente conmovedora y delata sus preocupaciones e inclinaciones sociales. Anota sobre una pareja de obreros comunistas que buscaban trabajo:

> El matrimonio aterido, en la noche del desierto, acurrucados uno contra el otro, era una viva representación del proletariado en cualquier parte del mundo. No tenían ni una mísera manta con que taparse, de modo que les dimos una de las nuestras y en la otra nos arropamos como pudimos Alberto y yo. Fue esa una de las veces en que he pasado más frío, pero también en la que me sentí un poco más hermanado con esta, para mí, extraña especie humana...

También la pobreza y las pésimas condiciones laborales en las minas de cobre de Chuquicamata le afectarán con fuerza e indignación, aun tanto como las ganancias de la extranjera Chile Exploration Company, que extrae las riquezas del suelo explotando los recursos humanos hasta el último suspiro. No resulta extraño que Ernesto apuntara:

> ...bueno sería que no se olvidara la lección que enseñan los cementerios de las minas, aun conteniendo solo una pequeña parte de la inmensa cantidad de gente devorada por los derrumbes, el sílice y el clima infernal de la montaña.

Ya en el Perú, los exploradores recorrieron la provincia de Tarata, en Tacna, con dirección al lago Titicaca, y arribaron el 31 de marzo a Cusco, donde se empaparon de la cultura incaica que Ernesto dejará impresa en sus crónicas de viaje, siempre salpicadas de descripciones costumbristas y sociales.

Escribe Ernesto:

> La palabra que cuadra como definición del Cusco es evocación. Un impalpable polvo de otras eras sedimenta entre sus calles, levantándose en disturbio de laguna fangosa cuando se halla su sustrato. Pero hay dos o tres Cuscos, o mejor dicho, dos o tres formas de evocación en él: cuando Mama Ocllo dejó caer el clavo de oro en la tierra y este se enterró en ella totalmente, los primeros incas supieron que allí estaba el lugar elegido por Viracocha para domicilio permanente de sus hijos preferidos que dejaban el nomadismo para llegar como conquistadores a su tierra prometida. Con las narices dilatadas en ambición de horizontes, vieron crecer el imperio formidable mientras la vista atravesaba la feble barrera de las montañas circunvecinas. Y el nómada converso al expandirse en Tahuantinsuyo, fue fortificando el centro

de los territorios conquistados, el ombligo del mundo, Cusco. Y así surgió, por imperio de las necesidades defensivas, la imponente Sacsahuamán que domina la ciudad desde las alturas, protegiendo los palacios y templos de la furia de los enemigos del imperio. Ese es el Cusco cuyo recuerdo emerge plañidero desde la fortaleza destrozada por la estupidez del conquistador analfabeto, desde los templos, violados y destruidos, los palacios saqueados, la raza embrutecida; es el que invita a ser guerrero y defender, macana en mano, la libertad y la vida del inca. Pero hay un Cusco que se ve desde lo alto, desplazando a la derruida fortaleza: el de los techos de té colorado cuya suave uniformidad es rota por la cúpula de una iglesia barroca, y que en descenso nos muestra solo sus calles estrechas con la vestimenta típica de sus habitantes y su color de cuadro localista; es el que invita a ser turista desganado, a pasar superficialmente sobre él y solazarse en la belleza de un invernal cielo plomizo. Pero también hay un Cusco vibrante que enseña en sus monumentos el valor formidable de los guerreros que conquistaron la región, el que se expresa en los museos y biblioteca, en los decorados de las iglesias y en las facciones claras de los jefes blancos que aún hoy muestran orgullo de la conquista; es el que invita a ceñir acero y montado en caballo de lomo amplio y poderoso galope hendir la carne indefensa de la grey desnuda cuya muralla humana se debilita y desaparece bajo los cuatro cascos de la bestia. Cada uno de ellos se puede admirar por separado, y a cada uno le dedicamos parte de nuestra estadía.

Cinco días más tarde estaban ya en Machu Pichu y el 6 de abril nuevamente en Cusco. El 25 durmieron en Ayacucho y el 1 de mayo, por fin, en Lima, donde prolongarán su estadía durante diecisiete días.

La estadía en Lima tendrá para los muchachos una trascendencia mayúscula, y en especial para Ernesto. Es que en la capital peruana estrecharán lazos con el doctor Hugo Pesce, un reconocido especialista en lepra que, además, era también un reputado teórico y militante comunista. Influenciado por Mariátegui, Pesce le transmite la importancia de los indígenas y campesinos como motores de un cambio social en aquella América que dolorosamente estaban conociendo.

Años más tarde, y cuando ya se había convertido en el Che Guevara, Ernesto le envió a Pesce de regalo un ejemplar de *La guerra de guerrillas*, con una dedicatoria donde reconocía que el encuentro con él le había provocado "...un gran cambio en mi actitud frente a la vida. De alguna manera, un tributo a las pasadas charlas limeñas".

Luego partieron hacia Cerro del Pasco y Pucallpa, donde abordaron una embarcación, "La Cenepa", buscando el curso grande del Amazonas hacia Iquitos, adonde arriban el 1 de junio,

Machu Picchu. Esta ciudad representó en tiempos de la conquista el corazón de la cultura inca. Si bien es un destino visitadísimo por turistas del mundo entero, para los autóctonos sudamericanos Machu Picchu está relacionado directamente con las raíces de la historia del continente.

para colaborar con el leprosario de San Pablo, situado sobre uno de los márgenes del río.

En todo este trayecto, lo común fueron las comidas esporádicas, generalmente dependiendo de la solidaridad de los numerosísimos pobladores que fueron conociendo y compartiendo caminos. Viajaban a su manera habitual, recostados en los fondos de algún camión, a veces compartiendo el lugar con otros hombres, o con animales o mercaderías. Sus "hoteles" solían ser los ranchos que se abrían amistosamente para ellos, o las celdas de alguna comisaría o la guardia de algún humilde hospitalito. Los ataques de asma, siempre frecuentes, apenas le daban respiro suficiente para continuar el camino.

Chichina, por otra parte, era cada vez más propiedad del recuerdo. Tanto esfuerzo y tanta pérdida ¿tenían a esa altura de la travesía sentido? Ernesto contestaría en su diario:

> La bóveda inmensa que mis ojos dibujaban en el cielo estrellado titilaba alegremente, como contestando en forma afirmativa a la interrogación que asomaba desde mis pulmones: ¿vale la pena esto?

La experiencia en el leprosario será de una gran intensidad afectiva y social. Allí pasará también su cumpleaños, del que nos dejó vivas impresiones:

> El día sábado 14 de junio de 1952 –anota Ernesto– yo, fulano exiguo, cumplí 24 años, vísperas del trascendental cuarto de siglo, bodas de plata con la vida, que no me ha tratado tan mal, después de todo.

La jornada incluyó una particular fiesta que el agasajado compartió con enfermos, médicos y demás personal de la colonia, ante los cuales y un poco mareado por el pisco, Ernesto ensayó un discurso que resumía buena parte del balance de la experiencia viajera:

> Quiero recalcar algo más, un poco al margen del tema de este brindis: aunque lo exiguo de nuestras personalidades nos impide ser voceros de su causa, creemos, y después de este viaje más firmemente que antes, que la división de América en nacionalidades inciertas e ilusorias es completamente ficticias. Constituimos una sola raza mestiza que desde México hasta el estrecho de Magallanes presenta notables similitudes etnográficas. Por eso, tratando de quitarme toda carga de provincialismo exiguo, brindo por Perú y por América Unida.

Los miembros de la colonia tenían una sorpresa más para los dos argentinos: una balsa que fue bautizada simbólicamente "Mambo-Tango". Montados a bordo de la misma, Ernesto y Alberto remontaron el Amazonas aguas abajo,

Los dos amigos abordo de la balsa "Mambo Tango"

aunque al tercer día de travesía la balsa varó en una de las márgenes, en las cercanías de la población fronteriza colombiana de Leticia.

Ya en Colombia, la estadía se prolongaría dos semanas, en las que los muchachos trabajaron como entrenadores de fútbol para un equipo pueblerino que les permitió ganar algún dinero para viajar en hidroavión hasta Bogotá, donde pasaron la noche sentados en una salita de hospital:

> No es que estemos tan tirados como eso –escribió Ernesto a su madre el 6 de julio– pero un raidista de la talla nuestra antes muere que pagar la burguesa comodidad de una casa pensión.

Decididamente, Colombia no les agradó en términos políticos. En la misma carta citada, Ernesto enfatizaba que:

> Este país es el que tiene más suprimidas las garantías individuales de todos los que hemos recorrido, la policía patrulla las calles con fusil al hombro y exigen a cada rato el pasaporte, que no falta quien lo lea al revés; es un clima tenso que hace adivinar una revuelta dentro de poco tiempo.

La situación en Colombia los hace rápidamente desistir de una permanencia mayor. Por otra parte y para su suerte, Alberto es tentado con un trabajo en una colonia de leprosos en Venezuela, donde finalmente los compañeros de viaje se despiden. La partida del amigo afectó seriamente a Ernesto, que perdía así momentáneamente a su inseparable ladero que lo ayudaba y acompañaba en todo y, muy importante para él, cuando los ataques de asma se presentaban. Justamente cuando salía de uno de esos ataques reseñó en su diario:

> Ya ha pasado lo peor del ataque asmático y me siento casi bien, no obstante, de vez en cuando recurro a la nueva adquisición, el insuflador francés. La ausencia de Alberto se siente extraordinariamente. Parece como si mis flancos estuvieran desguarnecidos frente a cualquier hipotético ataque. A cada momento doy vueltas a

> la cabeza para deslizarle una observación cualquiera y recién entonces me doy cuenta de la ausencia.

Mientras Alberto marchó, pues, a su nuevo empleo, Ernesto decidió emprender el regreso, pues aún le esperaba poner término a sus estudios médicos.

Mas la vuelta a casa tendrá –casi no podía ser de otra manera– sus alternativas quijotescas: regresaría en un avión de carga que, previamente, tenía que realizar una escala en Miami. Un desperfecto técnico de la nave, no obstante, lo mantuvo casi tres semanas en los Estados Unidos, las peores de todo el periplo para él, en las que apenas tenía un dólar para sobrevivir. Trabajó entonces como empleado doméstico y lavaplatos, hasta que por fin el avión fue reparado y completó el trayecto. El padre escribiría años más tarde:

> Todavía recuerdo con qué cara sonriente nos saludaba cuando consiguió vernos junto a la baranda de la terraza que cubre el edificio del aeródromo. Estábamos ya en el mes de septiembre de 1952.

Ya instalado en Buenos Aires, Ernesto retomó sus crónicas de viaje y redactó algunas notas complementarias:

El personaje que escribió estas notas murió al pisar de nuevo tierra argentina. El que las ordena y pule, "yo", no soy yo; por lo menos no soy el mismo yo interior. Este vagar sin rumbo por nuestra "Mayúscula América" me ha cambiado más de lo que creí.

De nuevo América

De regreso en Buenos Aires, Ernesto se hallaba ante un nuevo desafío. Tenía aprobadas dieciséis materias de la Facultad de Medicina y otras catorce lo separaban del ansiado título. Pero si acaso deseaba obtener el diploma en el año siguiente, debía rendirlas todas antes de mayo. Comenzó entonces a prepararse casi sin desmayos, aunque ciertamente matizaba el estudio con su renovado empleo en la clínica del doctor Pisani, la lectura y la reelaboración de sus notas de viaje.

No obstante, para el 11 de abril de 1953 rindió el último de los exámenes. Finalmente lo había logrado.

Casi de inmediato, Ernesto volvió a sorprender a la audiencia familiar, anunciando un próximo viaje. Poco después, sus primeras notas en el nuevo periplo señalaban:

> El nombre del ladero ha cambiado, ahora Alberto se llama Calica; pero el viaje es el mismo; dos voluntades dispersas extendiéndose por América sin saber precisamente qué buscan ni cuál es el norte.

En efecto, el nuevo compañero de rutas será su viejo amigo Carlos Calica Ferrer, aquel con el que compartiera sus primeros años en Alta Gracia.

Los muchachos partieron de la estación ferroviaria de Retiro el 7 de julio de 1953. También en esta oportunidad las finanzas serán flacas para el objetivo a cumplir: llegar a Caracas, donde residía Alberto Granado, y para ello llevarán entre los dos poco menos de 700 dólares. Paco Ignacio Taibo II subraya una instantánea de Ernesto al momento de la despedida:

> Los que los acompañaban guardarán la imagen del joven caminando por el andén que de repente alza su bolsa de lona verde y grita: "¡Aquí va un soldado de América!".

El nuevo periplo, en verdad, no será tan nuevo para Ernesto. Llegarán a La Paz, Bolivia, luego de un aplastante viaje hacia Jujuy, colmados de bultos y paquetes de comida que habían recibido a último momento. En La Paz intentarán sin éxito conseguir trabajo, como médico y

ayudante respectivamente, en una mina de estaño, lo que los lleva sin mediaciones a conocer la durísima vida del obrero minero boliviano. Ernesto escribirá en su diario:

> Al día siguiente visitamos el socavón. Llevando los sacos impermeables que nos dieron, una lámpara de carburo y un par de botas de goma, entramos en la atmósfera negra e inquietante de la mina. Anduvimos dos o tres horas por ella revisando topes, viendo las vetas perderse en lo hondo de la montaña, subiendo por trampas angostas hasta otro piso, sintiendo el fragor de la carga que se echa por los vagones hacia abajo para ser recogida en el otro nivel, viendo preparar los agujeros para la carga con la máquina de aire comprimido que va cavando. Pero la mina no se sentía palpitar. Faltaba el empuje de los brazos que todos los días arrancan la carga de material a la tierra y que ahora estaban en La Paz defendiendo la Revolución por ser el 2 de agosto, día del indio y de la Reforma Agraria.

El clima que vive el país los entusiasma y el propio Ernesto le escribe a sus padres:

> El 2 de agosto se produce la Reforma Agraria y se anuncian batidas y bochinches en todo el país...

Y luego:

> Todos los días se escuchan tiros y hay heridos y muertos por armas de fuego.

La estadía paceña, que se prolongará varias semanas, le permite a Ernesto apreciar el proceso revolucionario local, que tiene al Movimiento Nacionalista Revolucionario de Paz Estenssoro como principal protagonista. Posteriormente, en una carta desde Lima y fechada el 3 de septiembre, le recordaría a su amiga Tita Infante:

> Vimos el escenario mismo de las luchas, los impactos de bala y hasta restos de un hombre muerto en la pasada revolución y encontrado recién en una cornisa donde había volado su tronco, ya que explotaron los cartuchos de dinamita que llevaba en la cintura. En fin, se ha luchado sin asco. Aquí las revoluciones no se hacen como en Buenos Aires, y dos o tres mil muertos (nadie sabe exactamente cuántos) quedaron en el campo.

Y precisará de inmediato:

> Todavía ahora la lucha sigue y casi todas las noches hay heridos de bala de uno u otro bando, pero el gobierno está apoyado por el pueblo armado de modo que no hay posibilidades de que lo liquide un movimiento armado

> desde afuera y solo puede sucumbir por sus luchas internas.

Los recorridos por el interior del país le permiten una observación aun más profunda de la revolución nacional en ciernes y una acabada visión de la acción de las masas indígenas y pauperizadas, amén de conocer a varios integrantes de la colonia argentina en Bolivia. Entre otros, se vincularán con Ricardo Rojo, un abogado exiliado del peronismo que más tarde será central en la articulación de una entrevista entre el ya Comandante Guevara y el presidente argentino Arturo Frondizi.

Será precisamente Rojo quien lo alentará a continuar el viaje hacia el norte, y de hecho juntos parten para el Perú, frontera que cruzan el 17 de agosto, previa requisa de libros :

> Al llegar a Puno hicimos la última aduana del camino y en ella me requisaron dos libros: El hombre en la Unión Soviética y una publicación del Ministerio de Asuntos Campesinos que fue calificada de Roja, Roja, Roja en acento exclamativo y recriminatorio; después de una jugosa charla con el jefe de policía quedé en buscar en Lima la publicación.

En el Perú el grupito viajero se separa. Rojo marchará hacia Lima, mientras que Ernesto y

Calica retoman sus preferencias arqueológicas y visitan el Cusco. Desde allí le escribirá a su madre, el día 22:

"De mi vida futura no te hablo porque no sé nada..." –e inclusive entreabre la posibilidad de continuar el viaje por el mundo–. "Luego Europa –escribe– y luego oscuro". La misma sensación de imprevisibilidad le transmite a Tita: "De mi vida futura sé poco en cuanto a rumbo, y menos en cuanto a tiempo".

Nuevamente anotará en su diario con calidad de narrador costumbrista:

> Conocimos aquí en Cusco un médium espiritista. Fue así: conversando en lo de la señora argentina con ella y Pacheco, el ingeniero peruano, empezaron a hablar de espiritismo, tuvimos que hacer esfuerzos para no reír pero encaramos el asunto con seriedad y al día siguiente nos llevaron a conocerlo. El tipo dio unos informes raros sobre unas luces que veía, de las que vio en nosotros; se refirió a la luz verde de la simpatía y la del egoísmo en Calica, y la verde oscuro de la adaptabilidad en mí. Después me preguntó si no tenía algo al estómago porque veía radiaciones mías medio caídas, lo que me dejó pensando, porque mi estómago se queja de los guisos peruanos y de la comida en lata: lástima no poder estar en una reunión con este médium. Ya el Cusco se ha perdido a lo lejos; después

Organizaciones populares bolivianas reclamando una reforma agraria que les permita ser dueños de sus tierras.

de un interminable viaje de casi tres días del ómnibus llegamos a Lima. Desde Abancoy para acá el camino sigue durante toda una jornada de ómnibus la quebrada del río Apurimac que se va haciendo más pequeño cada vez. Nosotros nos bañamos en un pequeño remanso que apenas nos tapaba el agua, pero el frío era muy intenso y no fue para mí un baño agradable. El viaje se hacía interminable. Las gallinas habían cagado todo el asiento bajo el cual estábamos, y un olor insoportable a patas ponía el ambiente como para cortarlo a cuchillo. Después de pinchar varias gomas y alargar más aún el viaje, logramos llegar a Lima y dormimos como lirones en un hotelucho de mala muerte. En el ómnibus conocimos a un explorador francés que había estado en el Apurimac y había

> naufragado, llevándose la corriente a una compañera de él, que en un primer momento dijo que era una profesora y luego resultó ser una alumna fugada de la casa de los padres y que de yapa no sabía nadar. El tipo se las va a ver negras.

En el Perú volverán a visitar al entrañable doctor Pesce, para luego partir siempre con rumbo norte. Ecuador los aguardaba. Por entonces le escribe a su madre "...desde mi nueva posición de aventurero 100 por ciento".

En Ecuador, Ernesto y Calica se unieron a Ricardo Rojo, Eduardo Gualo García, Oscar Valdovinos y Andro Herrero, estos tres últimos estudiantes de la Facultad de Derecho de la Universidad de La Plata. Finalmente, el grupito compartiría la estancia en una misma pensión en Guayaquil. Los planes eran diversos y en algunos casos hasta contrapuestos. Calica quería seguir el viaje a Venezuela; Rojo y sus amigos a Panamá y a Guatemala, donde un complejo proceso político popular estaba desarrollándose bajo la conducción del presidente Jacobo Arbenz.

Para mediados de octubre, Rojo y Valdovinos zarparon hacia Panamá, curiosamente en un buque propiedad de la United Fruit Company, empresa emblemática de la opresiva presencia norteamericana en los pequeños países centroa-

mericanos. Mientras tanto, Ernesto, aquejado a menudo por los ataques de asma, prolongó un tiempo más su estadía en Ecuador, aunque lo atraían firmemente los acontecimientos de Guatemala. Por fin, las dudas de emprender el viaje se disiparon: Calica siguió solo y Ernesto se involucró rumbo al Caribe.

Costa Rica es la primera escala, y allí se entrevistará con dos exiliados políticos célebres: el dominicano Juan Bosch y el venezolano Rómulo Betancourt, con quienes dialogará largamente sobre la política regional. En todos los casos, el antiimperialismo aflora en Ernesto como su más firme convicción política y que madura en una feroz caracterización de los Estados Unidos como gendarme de América.

También conocerá al dirigente sindical comunista Mora Valverde, un costarricense que le impresionará hondamente. Ernesto escribe en su diario:

> Conocimos a dos personas excelentes pero no en el leprosario. Al doctor Arturo Romero, persona de vasta cultura ya retirado de la dirección del leprosario por intrigas, y al doctor Alfonso Trejos, investigador de escuela y muy buena persona. Visité el hospital y recién mañana el leprosario. Tenemos un día bravo. Charlar con un cuentista y revolucionario dominicano: Juan Bosch, y con el líder comunista costarricense Manuel Mora Valverde [...] La entrevista con Juan

El Che con Gualo García en Guatemala.

Bosch fue muy interesante. Es un literato de ideas claras y de tendencia izquierdista. No hablamos de literatura, simplemente de política. Calificó a Batista de hampón rodeado de hampones. Es amigo personal de Rómulo Betancourt y lo defendió calurosamente, lo mismo que a Prío Socarrás y a Pepe Figueres. Dice que Perón no tiene arraigo popular en los países americanos y que en el año 45 escribió un artículo en que lo denunciaba como el más peligroso demagogo de América. La discusión se llevó en términos generales muy amables. Por la tarde nos entrevistamos con Manuel Mora Valverde, es un hombre tranquilo, más que eso pausado, pues tiene una serie de movimientos de tipo de tics que indican una gran intranquilidad interior, un dinamismo frenado por el método. Nos dio una cabal explicación de la política de Costa Rica en estos últimos tiempos...

De Costa Rica pasó a Nicaragua, donde llegó tras una accidentada travesía que incluyó el vuelco de un camión que lo trasladaba y unos cincuenta kilómetros atravesados a pie hasta la misma frontera nicaragüense.

Hambriento, exhausto por el asma y la caminata, y con el talón de un pie lastimado y apenas tratado por una curandera, Ernesto tendrá sin embargo una notable sorpresa: aguardando en la carretera que lleva a Guatemala, el mismísimo Ricardo Rojo se detendrá a bordo de

El líder político dominicano Juan Bosch, en su visita a los EE.UU. Los contactos que el Che mantuvo con los distintos líderes revolucioarios de América latina le permitieron tomar una real dimensión de la problemática de la región.

un auto importante, acompañado por los hermanos Beberaggi Allende. Pareciera que la parte más tortuosa del recorrido había llegado a su fin, pero la falta de dinero se hará sentir en la dieta de los muchachos.

Por fin, para la última semana de 1953 llegan a Guatemala, donde el curso de la vida de Ernesto recibiría un estremecimiento decisivo.

4

Hacia la revolución: la experiencia guatemalteca

La permanencia de Ernesto en Guatemala será la más prolongada –poco más de nueve meses– en un mismo país de todas las realizadas hasta el momento, incluido su primer viaje por la América andina.

No resulta extraño, sin embargo, que así fuera.

En verdad, para el momento de su estadía guatemalteca, Ernesto ha madurado finamente su antiimperialismo inicial hasta reconvertirlo en un análisis político abonado por sus propias experiencias con los sectores populares durante su peregrinar continental, como así también por sus constantes contactos con representantes de la militancia y la intelectualidad de izquierdas,

muchos de ellos exiliados políticos que le contaron con lujo de detalles las inequidades sociales de sus respectivos países.

Las lecturas fueron un complemento ideal y también dejaron su herencia en el joven, quien por entonces era ya un apasionado lector de Marx, al que había bautizado jocosamente "san Carlos".

Desde este punto de mira, Guatemala no era un escenario más de su viaje, un sitio donde profundizar, si se quiere, sus cada vez más agudos conocimientos de la mal llamada "América oculta", esa especie de subcontinente donde todas las iniquidades sociales son posibles, como si ello ocurriera sin el conocimiento de los demás. No, Guatemala era a sus ojos una de las tantas naciones sojuzgadas y hambrientas del continente, pero con el enorme valor agregado de que en ese momento vivía un proceso político particular.

En efecto, en Guatemala se venía desarrollando una activa revolución de carácter nacional y popular y su generosa estela de reformas políticas y sociales. Dicho proceso no era tan nuevo, en verdad, y venía sucediéndose desde hacía por lo menos varios años atrás alentado por el gobierno del presidente Juan José Arévalo, un reformista que había logrado desplazar a los sectores más reaccionarios de la política local.

Ahora, su sucesor, Jacobo Arbenz, en 1952 había iniciado una suerte de profundización de aquellas primeras reformas y se encaminaba directamente hacia una confrontación abierta con la oligarquía vernácula, ya que en términos políticos y económicos se llegaba a un punto sin retorno.

Es que la cuestión más crítica en Guatemala pasaba fundamentalmente por la reforma agraria que el presidente Arbenz inspiraba, reforma agraria que golpeaba directamente al corazón mismo de la United Fruit.

Como era de suponer, la administración norteamericana de Eisenhower respaldó a la empresa estadounidense, y enarbolando el fantasma del comunismo arremetió contra el gobierno constitucional de Arbenz aliándose con sectores afines de la propia Guatemala.

Se avizoraban tiempos conflictivos y Ernesto estaría allí para vivirlos, padecerlos y hasta disfrutarlos, tal la intensidad con que se involucrara en ellos.

Pero vayamos por partes.

En principio, la vida de Ernesto en el pequeño país centroamericano no va a diferir demasiado de la que venía llevando en sus viajes. Los ataques de asma se presentaban de continuo, y eran un elemento infaltable que marchaba junto a sus otros tres compañeros de

Dwight David Eisenhower tuvo un protagonismo excepcional en la política de su tiempo. Le tocó gobernar en tiempos de guerra fría y formó parte de la dirigencia norteamericana que transformó a ese país en un imperio consolidado.

ruta: la falta de trabajo –ocasionalmente cumplía jornadas en algún hospitalito público–; de dinero y, finalmente, de un lugar estable donde situar su humanidad. La precariedad en todas sus formas, salvo, claro, en lo afectivo. Esa dimensión, en cambio, era vigorosa y se renovaba a diario. Justamente, será su enorme sociabilidad la que le deparará algunas de sus más gratas sorpresas.

Así, inmerso en el mundillo de militantes y exiliados políticos que por entonces pululaban por la capital guatemalteca, Ernesto conocerá a instancias de Ricardo Rojo a Hilda Gadea, quien tiempo después se convertiría en su primera esposa. Hilda lo "adoptará" casi de inmediato, y lo asistirá en todas sus necesidades mundanas.

La vida de Ernesto oscilaba entre su inveterada costumbre de trotamundo y su particular y creciente implicación en los asuntos políticos. En abril escribía a su madre:

> De mi vida diaria poco te puedo contar que te interese. Por la mañana voy a sanidad y trabajo unas horas en el laboratorio, por las tardes voy a una biblioteca o museo a estudiar algo de acá, por las noches leo algo de medicina o de cualquier otra cosa, escribo alguna carta, en fin, tareas domésticas. Tomo mate cuando hay y desarrollo unas interminables discusiones con la compañera Hilda Gadea, una muchacha aprista a quien

> yo con mi característica suavidad trato de convencerla de que largue ese partido de mierda. Tiene un corazón de platino lo menos. Su ayuda se siente en todos los aspectos de mi vida diarios (empezando por la pensión).

Ernesto continúa leyendo ávidamente, descubriendo nuevos autores merced a las recomendaciones de la infaltable Hilda: César Vallejo y León Felipe, pues, resultarán voces que alternará con las de Sartre e incluso Mao Tse Tung, que la propia Gadea le acercará a su protegido. La relación con la muchacha es intensa, pero no parece prosperar más allá de lo intelectual, sin involucramiento romántico alguno, al menos por parte de él.

Después de unos meses, el visado de Ernesto expira y decide salir del país provisionalmente para volver a ingresar. La despedida con Hilda parece para ella definitiva, más Ernesto promete regresar y le deja, como prenda de prueba, las pocas pertenencias que tenía. Tras los saludos de rigor, Ernesto parte para El Salvador con la idea de volver casi de inmediato y, tras una semana de ausencia, el trotamundo regresó. Por entonces, mayo de 1954, Guatemala se había convertido en una auténtica caldera.

Ernesto, ampliamente identificado con el proceso encabezado por Arbenz, paulatinamente se irá comprometiendo cada vez más con la defensa de su gobierno, ahora explícitamente amenazado por el de los Estados Unidos.

Aún así, mantiene diferencias notorias con los comunistas locales, enrolados en el Partido Guatemalteco de los Trabajadores, con quienes tendrá una relación de cierta dualidad: por un lado, sus inocultables simpatías con el marxismo lo convertían en su aliado; por otro lado, su rechazo a las prácticas morales del estalinismo, lo transformaba en uno de sus más dinámicos críticos.

De hecho, cuando los comunistas guatemaltecos le aseguraron un trabajo de médico a cambio de su afiliación, la indignación de Ernesto se hizo sentir: el soborno político ya desde entonces le causaba el peor de los malestares éticos y morales.

Para el 18 de junio, la trama secreta de los golpistas locales, la United Fruit y la CIA, se presenta en sociedad sin máscaras, bombardeando la ciudad con aviones militares e iniciando una invasión desde Honduras, donde Carlos Castillo Armas, principal figura de la contrarrevolución, había asentado sus fuerzas principales.

Dos días más tarde de iniciadas las operaciones, Ernesto escribía a su madre una larga carta que vale la pena reproducir en extenso porque es un fresco extraordinario de cómo él vivió inmerso en una situación revolucionaria:

Querida vieja:

Esta carta te llegará un poco después de tu cumpleaños, que tal vez pases un poco intranquila con respecto a mí. Te diré que si por el momento no hay nada que temer, no se puede decir lo mismo del futuro, aunque personalmente yo tengo la sensación de ser inviolable (inviolable no es la palabra pero tal vez el subconsciente me jugó una mala pasada). La situación someramente pintada es así: hace unos 5 o 6 días voló por primera vez sobre Guatemala un avión pirata proveniente de Honduras, pero sin hacer nada. Al día siguiente y en los días sucesivos bombardearon diversas instalaciones militares del territorio y hace dos días un avión ametralló los barrios bajos de la ciudad matando una chica de dos años. El incidente ha servido para aunar a todos los guatemaltecos debajo de su gobierno y a todos los que, como yo, vinieron atraídos por Guatemala. Simultáneamente con esto, tropas mercenarias, acaudilladas por un ex coronel del ejército, destituido por traición hace tiempo, salieron de Tegucigalpa, la capital de Honduras, de donde fueron transportadas hasta la frontera y ya se han internado bastante en territorio guatemalteco. El gobierno, proce-

diendo con gran cautela para evitar que Estados Unidos declarara agresora a Guatemala, se ha limitado a protestar ante Tegucigalpa y a enviar el total de los antecedentes al Consejo de Seguridad de las Naciones Unidas, dejando entrar las fuerzas atacantes lo suficiente para que no hubiera lugar a los pretendidos incidentes fronterizos. El coronel Arbenz es un tipo de agallas, sin lugar a dudas, y está dispuesto a morir en su puesto si es necesario. Su discurso último no hizo más que reafirmar esto que todos sabíamos y traer tranquilidad. El peligro no está en el total de las tropas que han entrado actualmente al territorio pues esto es ínfimo, ni en los aviones que no hacen más que bombardear casas de civiles y ametrallar algunos: el peligro está en cómo manejen los gringos (aquí los yanquis) a sus nenitos de las Naciones Unidas, ya que una declaración, aunque no sea más que vaga, ayudaría mucho a los atacantes. Los yanquis han dejado definitivamente la careta de buenos que les había puesto Roosevelt y están haciendo tropelías y media por estos lados. Si las cosas llegan al extremo de tener que pelear contra aviones y tropas modernas que mande la frutera o los EE.UU., se peleará. El espíritu del pueblo es muy bueno y los ataques tan desvergonzados sumados a las mentiras de la prensa internacional han aunado a todos los indiferentes con el gobierno, y hay un verdadero clima de pelea. Yo ya estoy apuntado para hacer servicio de socorro médico de urgencia y me apunté en las brigadas juveniles para recibir instrucción militar e ir a lo que sea. No creo que

> llegue el agua al río, pero eso se verá después de la reunión del Consejo de Seguridad que creo se hará mañana. De todos modos, al llegar esta carta ya sabrán a qué atenerse en este punto. Por lo demás no hay mayores novedades. Como estos días la embajada argentina no funcionó, no he tenido noticias frescas después de una carta de Beatriz y otra tuya la semana pasada. El puesto en Sanidad dicen que me lo van a dar de un momento a otro, pero también estuvieron las oficinas muy ocupadas con todos los líos de modo que me pareció un poco imprudente ir a jeringar con el puestito cuando están con cosas mucho más importantes. Bueno, vieja, que los hayas cumplido lo más feliz posible después de este accidentado año, en cuanto pueda mando noticias. Chau.

Pero el entusiasmo de Ernesto se verá muy pronto frustrado por las dilaciones del propio Arbenz –quien una semana más tarde dará orden de distribuir armas al pueblo– y sobre todo de las Fuerzas Armadas de Guatemala, cuyos jefes se niegan a obedecer los mandatos presidenciales. Con el pueblo desarmado y bajo violentos y continuos bombardeos nocturnos, la posibilidad del triunfo popular se escurre como el agua. Indignado, el 4 de julio vuelve a escribirle a su madre:

Vieja

Todo ha pasado como un sueño lindo que uno no se empeña luego en seguir despierto. La realidad está tocando muchas puertas y ya comienzan a sonar las descargas que premian la adhesión más encendida al antiguo régimen. La traición sigue siendo patrimonio del ejército, y una vez más se prueba el aforismo que indica la liquidación del ejército como el verdadero principio de la democracia (si el aforismo no existe, lo creo yo). La verdad cruda es que Arbenz no supo estar a la altura de las circunstancias. Así se produjo todo: Después de iniciar la agresión desde Honduras y sin previa declaración de guerra ni nada por el estilo (todavía protestando por supuestas violaciones de fronteras) los aviones vinieron a bombardear la ciudad. Estábamos completamente indefensos, ya que no había aviones, ni artillería antiaérea, ni refugios. Hubo algunos muertos, pocos. El pánico, sin embargo, entró en el pueblo y sobre todo en "el valiente y leal ejército de Guatemala"; una misión militar norteamericana entrevistó al presidente y le amenazó con bombardear en forma a Guatemala y reducirla a ruinas, y con la declaración de guerra de Honduras y Nicaragua que Estados Unidos haría suya por existir pactos de ayuda mutua. Los militares se cagaron hasta las patas y pusieron un ultimátum a Arbenz. Este no pensó en que la ciudad estaba llena de reaccionarios y que las casas que se perdieron serían las de ellos y no del pueblo, que no tiene nada y que era el que defendía al gobierno. No

pensó que un pueblo en armas es un poder invencible a pesar del ejemplo de Corea e Indochina. Pudo haber dado armas al pueblo y no quiso, y el resultado es este. Yo ya tenía mi puestito pero lo perdí inmediatamente, de modo que estoy como al principio, pero sin deudas, porque decidí cancelarlas por razones de fuerza mayor. Vivo cómodamente en razón de algún buen amigo que devolvió favores y no necesito nada. De mi vida futura nada sé, salvo que es probable que vaya a México. Con un poco de vergüenza te comunico que me divertí como mono durante estos días. Esa sensación mágica de invulnerabilidad que te decía en otra carta me hacía relamer de gusto cuando veía la gente correr como loca apenas venían los aviones o, en la noche, cuando en los apagones se llenaba la ciudad de balazos. De paso te diré que los bombarderos livianos tienen su imponencia. Vi a uno largarse sobre un blanco relativamente cercano a donde yo estaba y se veía el aparato que se agrandaba por momentos mientras de las alas le salían con intermitencias lengüitas de fuego y sonaba el ruido de su metralla y de las ametralladoras livianas con que le tiraban. De pronto quedaba un momento suspendido en el aire, horizontal, y enseguida daba un pique velocísimo y se sentía el retumbar de la tierra por la bomba. Ahora pasó todo eso y solo se oyen los cohetes de los reaccionarios que salen de la tierra como hormigas a festejar el triunfo y tratar de linchar comunistas como llaman ellos a todos los del gobierno anterior. Las embajadas están llenas hasta el tope, y la nuestra junto con la de México son las peores. Se hace

> mucho deporte con todo esto pero es evidente que a los pocos gordos se la iban a dar con queso. Si querés tener una idea de la orientación de este gobierno, te daré un par de datos: uno de los primeros pueblos que tomaron los invasores fue una propiedad de la frutera donde los empleados estaban en huelga. Al llegar declararon inmediatamente acabada la huelga, llevaron a los líderes al cementerio y los mataron arrojándoles granadas en el pecho. Una noche salió de la catedral una luz de bengala cuando la ciudad estaba a oscuras y el avión volando. La primera acción de gracias la dio el obispo; la segunda, Foster Dulles, que es abogado de la frutera. Hoy, 4 de julio, hay una solemne misa con todo el aparato escénico, y todos los diarios felicitan al gobierno de Estados Unidos por su fecha en términos estrambóticos.

La situación en plena guerra le despertó, a la vez, una especial ensoñación por la aventura, una suerte de adrenalina que le daba vida y, a la vez, una desembozada sensación de libertad. En esa clave es que hay que entender sus señalamientos a su diversión en aquellos días. Esa "sensación mágica de invulnerabilidad" a la que hacía referencia. Años más tarde, en la Sierra Maestra y en el Escambray, o durante sus campañas en el Congo y Bolivia, esa "magia" no dejará de acompañarlo.

Para los primeros días de julio, la contrarrevolución había triunfado. La capital de Guatemala finalmente había caído y Castillo "en Armas" se disponía a encabezar una feroz dictadura.

El 22 de julio, Ernesto le escribía a su tía Beatriz haciendo un pequeño balance de lo vivido, transmitiendo a la vez lo que debía esperarse de él en los siguientes años:

> Aquí todo estuvo muy divertido con tiros, bombardeos, discursos y otros matices que cortaron la monotonía en que vivía... Yo partiré dentro de algunos días, no sé cuántos, para México, donde pienso hacerme una fortuna vendiendo ballenitas para el cuello... De todas maneras estaré atento para ir a la próxima que se arme, ya que armarse se arma seguro, porque los yanquis no se pueden pasar sin defender la democracia en algún lado...

Firmaba la misiva como "sobrino aventurero". Toda una definición.

Hilda Gadea recordaría más tarde sobre Ernesto en Guatemala:

> Pide ir al frente a pelear pero nadie le hace caso. Se mete en los grupos que defienden la ciudad cuando hay bombardeos; por hacer algo, traslada armas de un lado para otro...

El propio Guevara, en su famosa entrevista con Jorge Ricardo Masetti, señalaría de aquellos tiempos no sin cierto dejo de desilusión:

> Cuando se produjo la invasión norteamericana traté de formar un grupo de hombres jóvenes como yo para hacer frente a los aventureros fruteros. En Guatemala era necesario pelear, y casi nadie peleó. Era necesario resistir y casi nadie quiso hacerlo.

La vida, empero, seguía su curso. La relación entre Hilda y Ernesto había progresado en términos afectivos, aunque también interrumpida por la detención de ella y el asilo de Ernesto en la embajada argentina local, junto a otros refugiados sindicados de comunistas.

Para fines de agosto, los papeles de su salvoconducto estaban elaborados, lo que le permitía abandonar el país con destino a México. Hilda, liberada poco tiempo antes, no viajó. La relación entre ellos, pues, parecía haber llegado a un punto sin retorno, al menos por el momento.

Encuentro con Fidel

Juan Domingo Perón, por entonces ejerciendo el segundo mandato presidencial en Argentina, había enviado a Guatemala un avión

para repatriar a los argentinos que, tras la crisis, terminaron refugiados en la embajada.

"Yo me asilé en la embajada argentina –escribe Ernesto a sus padres en agosto– donde me trataron muy bien, pero no figuraba en la lista oficial de asilados..".

En la embajada se hace rápidamente una "selección", por decirlo de alguna manera, de los refugiados, dividiéndolos entre comunistas y no comunistas. Ernesto será puesto entre los primeros.

Por supuesto, la intervención de Perón significaba un rápido y gratuito regreso a casa, pero eso no fue suficiente para Ernesto, que, muy resuelto, ya había decidido cuál sería su nuevo destino:

> ...ya toda la tormenta pasó y pienso seguir viaje a México en pocos días.

Y agregaba a manera de inconfundible seña de identidad:

> ...la ropa no toda me servirá pues mi último lema es poco equipaje, piernas fuertes y estómago de faquir también.

México no era, para el caso, un lugar más: allí se hallaba una nutrida colonia de exiliados cubanos, algunos de los cuales había conocido y congeniado amistosamente en la propia Guatemala durante los meses previos a la caída de Arbenz. Entre los cubanos que había conocido se hallaba Antonio "Ñico" López, quien durante el asalto al cuartel de Moncada había actuado en un intento paralelo de recuperación del cuartel de Bayamo, una operación destinada a dividir las fuerzas que el dictador Fulgencio Batista utilizaría para reprimir el osado copamiento principal.

Por entonces "Ñico" no podía imaginar que aparecería en el futuro en innumerables libros, aunque no por su participación en la gesta revolucionaria, sino en una tarea menos heroica pero seguramente simbólicamente más duradera: será él quien bautice a Ernesto como *Che*, justamente por la profusa utilización que este hacía de tal palabra. Años más tarde, el propio "Ñico" recordaría que, cuando se encontró a Ernesto en Guatemala, el argentino tenía los zapatos y una sola muda de ropa.

La relación de Ernesto con los cubanos fue, en definitiva, resultado natural del movimiento intenso que se vivía en Guatemala por aquellos meses. La propia Hilda Gadea le había presentado a la familia del nicaragüense Edelberto

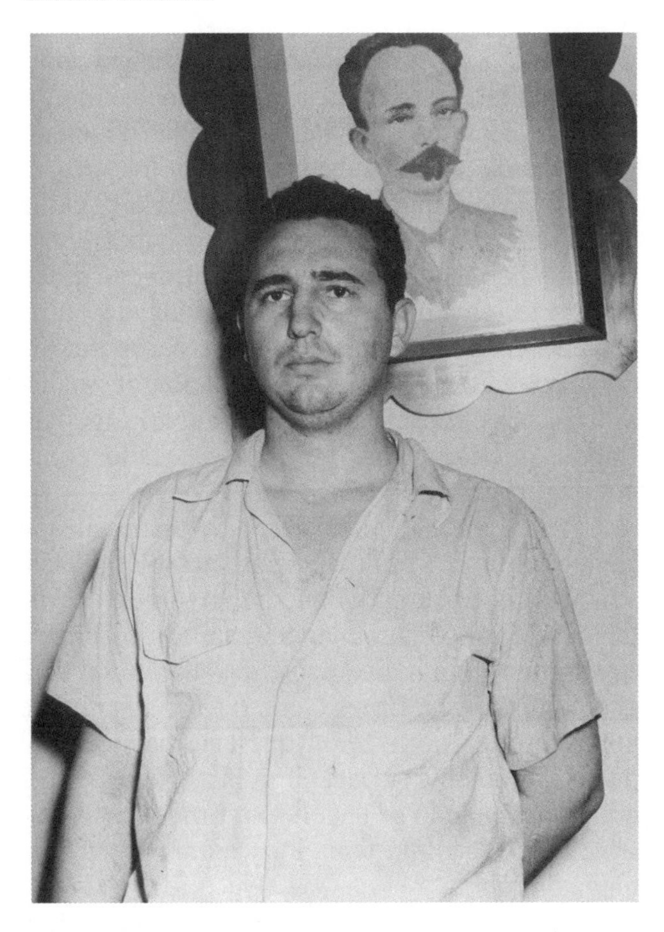

Fidel Castro era un joven abogado cubano que pretendía llevar adelante un movimiento revolucionario que "liberara" Cuba y se expandiera por toda América.

Torres, en cuya casa se reunían periódicamente los cubanos.

Al calor de esas interacciones constantes, Ernesto haría amistad con aquellos, y más intensamente con el ya presentado "Ñico" López. En México contará también con la amistad de un exiliado guatemalteco que, justamente, Ernesto conocerá en el tren que lo lleva de un país a otro. Se trata de Julio Roberto Cáceres Valle, más conocido por el alias de "El Patojo".

Como siempre, la estadía en el nuevo país estaría signada por las dificultades más elementales, y en primer lugar por las del sobrevivir. Sin dinero ni trabajo, Ernesto, paulatinamente desde entonces más conocido como "Che", deambulará por el Distrito Federal intentando ganar unos pesos sacando fotografías a los turistas norteamericanos.

> "El Patojo" –recordará más tarde Ernesto– no tenía ningún dinero y yo algunos pesos; compré una máquina fotográfica y juntos nos dedicamos a la tarea clandestina de sacar fotos en los parques, en sociedad con un mexicano que tenía un pequeño laboratorio donde revelábamos. Conocimos toda la ciudad de México, caminándola de una punta a la otra para entregar las malas fotos que sacábamos. Luchamos con toda clase de clientes –concluye– para convencerlos de que realmente el niñito fotografiado lucía muy lindo y que valía la pena pagar un peso mexicano por esa maravi-

> lla. Con este oficio comimos varios meses, y poco a poco nos fuimos abriendo paso...

En términos políticos, el país no le gustaba demasiado; en carta a su padre, con fecha 10 de febrero de 1955, escribía:

> México está entregado totalmente a los yanquis [...] La prensa no dice nada. El panorama económico es terrible, las cosas suben en forma alarmante, y la descomposición es tal que todos los líderes obreros están comprados y hacen contratos leoninos con las diversas compañías yanquis hipotecando las huelgas...

Para entonces, la experiencia guatemalteca le había dejado como preciada herencia una imperturbable definición a favor de las acciones violentas como respuestas necesarias ante la violencia del Estado contra las masas y los proyectos populares. Ya a fines de 1954 había escrito un muy breve artículo que, no obstante, ponía énfasis en algunas de sus más íntimas convicciones:

> La responsabilidad histórica de los hombres que realizan las esperanzas de Latinoamérica es grande. Es hora de que se supriman los eufemismos. Es hora de que el garrote conteste al garrote, y si hay que morir, que sea como Sandino y no como Azaña. Pero que los fusiles alevosos no sean empuñados por manos guate-

maltecas. Si quieren matar la libertad que lo hagan ellos, los que la esconden. Es necesario no tener blandura, no perdonar traiciones. No sea que la sangre de un traidor que no se derrame cueste la de miles de bravos defensores del pueblo.

También por entonces aparecen en su discurso los elementos que más tarde lo tipificarán como un hombre y un revolucionario excepcional: el espíritu de sacrificio, su inflexibilidad para con los enemigos y su soberano desprecio ante la muerte, desprecio que, incluso, se reconvierte por momentos en un coqueteo peligroso que, tarde o temprano, derivará en una fatal predestinación. En septiembre del año siguiente volvería sobre este tema, inquietando a Celia con unas líneas estremecedoras:

Quién sabe qué será mientras tanto de tu hijo andariego... Tal vez alguna bala de esas tan profusas en el Caribe acaben con mi existencia...

También definía mejor sus posiciones políticas:

Los comunistas no tienen el sentido que vos tenés de la amistad –le escribe a Celia–, pero entre ellos lo tienen igual o mejor que el que vos tenés. Lo vi claro a eso, y en la hecatombe que fue Guatemala después de la caída, donde cada uno atendía solo el sálvese quien

En Guatemala junto a Hilda Gadea.

> pueda, los comunistas mantuvieron intacta su fe y su compañerismo y es el único grupo que siguió trabajando allí. Creo que son dignos de respeto y que tarde o temprano entraré en el Partido. Lo que me impide hacerlo más que todo, por ahora, es que tengo unas ganas bárbaras de viajar por Europa y no podría hacer eso sometido a una disciplina rígida.

A la vez que irá madurando sus relaciones con el mundo de la política y la revolución, el Che también regulará su vida cotidiana y afectiva. Reencontrado con Hilda Gadea, en México, iniciará con ella un romance que muy

El Che junto a Hilda Gadea, su primera esposa.

pronto traerá sus primeros frutos. El trabajo era esporádico, pero por momentos entusiasta, tanto como fotógrafo en la Agencia Latina, cubriendo los Juegos Panamericanos, como de médico en el Hospital General y en el Hospital Infantil, en los que fungía de investigador alergista.

Las interpretaciones acerca de la relación que establecerá el Che con los cubanos varían, pero es verosímil cierto estado anímico en el que Ernesto vagaba por México sin mayores rumbos. Alternativamente fotógrafo y médico, casado y con una hija, el peligro del tedio se le presentaba a menudo como un fantasma que le

causaba horror. Él, el trotamundos incansable, de alguna manera se hallaba atrapado en una telaraña sin mayores emociones, a las que estaba gustosamente acostumbrado. Castañeda resume:

> En medio de una existencia lánguida y sin brújula, pero disponible y expectante para cualquier eventualidad, se produce el golpe de azar que hace la diferencia entre la epopeya y el tedio. A la suerte se le suma la genialidad de la intuición: reconocer la oportunidad que se presenta, aprovecharla al máximo.

Sin duda los íntimos entretelones de la vida dispusieron a Ernesto para que se involucrara activamente con los revolucionarios cubanos, pero ninguna interpretación que subraye estos elementos subjetivos puede pasar por alto, a la vez, el desarrollo político e ideológico de Ernesto, decididamente antiimperialista por convicción y experiencia.

La reanudación de la relación con Hilda trajo aparejada una reconexión con los exiliados políticos que por entonces habían tomado a México como su principal santuario de seguridad regional. Pero curiosamente no será una reunión de exiliados lo que lo vinculará con los viejos compañeros cubanos en Guatemala, sino un ocasional encuentro con "Ñico" López en el Hospital General.

Es la mano del azar de la que habla Castañeda. A partir de ese momento, el futuro del Che se presentaría ante su más importante decisión.

En junio Ernesto conoce a Raúl Castro, quien había salido de la prisión poco tiempo antes y aguardaba ansioso la llegada de su hermano Fidel, el que finalmente arribó al Distrito Federal el 8 de julio.

No hay coincidencia en señalar la fecha precisa en que Ernesto y Fidel se entrevistaron por primera vez, aunque debió de ser en ese mismo mes de julio o inmediatamente después. El sitio del encuentro, como el mismo Che señalara en su famosa carta de despedida, fue en la casa de María Antonia, un pequeño departamento en el DF. María Antonia se había ligado a los revolucionarios por uno de sus hermanos, Isidoro, quien a su vez conocía a varios de los ex moncadistas que iban llegando a México como exiliados y sin un solo peso en el bolsillo.

Paulatinamente, aquella casa se convertirá en lugar de descanso, comedor y sitio de reuniones. En poco tiempo, el departamento de María Antonia cambia de fisonomía y se transforma, de alguna manera, en una suerte de posta obligada para los exiliados de Cuba.

> Comienzan a comprar colchonetas para tender en el suelo –señala Alfredo Muñoz Unsain–, luego camas desarmables para hacer transitable el apartamento durante el día. Se comienza a establecer un sistema de señales, horarios y mensajes... Y concluye que en ese extraño hotel... la moneda de cambio es la amistad...

El propio Che se encargará de dejar una semblanza de aquella primera reunión. La confesión la recogió Jorge Ricardo Masetti, cuando en plena campaña rebelde en Sierra Maestra, entrevistó a quien ya era un líder de la Revolución Cubana:

> Lo conocí en una de esas noches frías de México –señalará Guevara a Masetti– y recuerdo que nuestra primera discusión versó sobre política internacional. A pocas horas de la misma noche –en la madrugada– era yo uno de los futuros expedicionarios. En realidad, después de la experiencia vivida a través de mis caminatas por toda Latinoamérica y del remate en Guatemala, no hacía falta mucho para incitarme a entrar en cualquier revolución contra un tirano, pero Fidel me impresionó como un hombre extraordinario. Las cosas más imposibles eran las que encaraba y resolvía... Compartí su optimismo. Había que hacer, que luchar, que concretar. Que dejar de llorar y pelear.

Si el entendimiento entre Ernesto y Raúl Castro había sido inmediato, mucho más lo fue con Fidel. Pierre Kalfon, incluso, subraya gráficamente que se trató de un flechazo total y recíproco, abonado por una primera charla de diez horas continuas e intensas.

Por entonces, Fidel había cumplido parte de una condena de diez años que le había sido impuesta por su intento de tomar el cuartel militar de Moncada, el 26 de julio de 1953. Aunque el asalto terminara en un sangriento fracaso, Fidel había llamado la atención sobre la descomposición del gobierno del dictador Fulgencio Batista, y se había proyectado como un demócrata de reconocimiento nacional.

Dos años más tarde, el propio Batista se vio obligado a dictar una amnistía para los "moncadistas" sentenciados, que en total sumaban veinte personas, incluidos Fidel y su hermano Raúl. Ya en libertad, los frustrados asaltantes del cuartel fundaron un nuevo movimiento político, cuyo principal objetivo era la destitución del dictador. Le pusieron a la nueva organización un nombre que recordara la gesta del Moncada. Así, el Movimiento 26 de Julio dio sus primeros pasos.

Mientras Ernesto apilaba proyectos revolucionarios para el futuro más o menos inmediato, la relación con Hilda dará un vuelco importante.

La muchacha estaba embarazada y el 18 de julio contraen matrimonio. No obstante, la noticia de su casamiento apenas ocupará una línea y media en una carta que le envia a su madre; más precisamente se trata de una "información", desprovista de todo acompañamiento afectivo. De hecho, solo escribió:

> ...me casé con Hilda Gadea y tendremos un hijo dentro de un tiempo.

Nada más. Luego la pareja tendrá una luna de miel en las ruinas mayas de Chiapas y en el Yucatán, lo que seguramente los alejó de las tratativas revolucionarias en ciernes. Pero no por mucho tiempo.

El año 1956 se inicia ya con planes organizativos y logísticos precisos. El pequeño grupo de ex "moncadistas" dirigido por Fidel y al que Ernesto se ha plegado con entusiasmo se dispone a realizar una gesta que transformará definitivamente sus vidas. Kalfon señala:

> Guevara y Castro ya no se separarán. En México, a pesar de las mil actividades de cada uno de ellos, se ven dos o tres veces por semana, solos o con Raúl u otro "moncadista". Estudian el proyecto, evalúan los riesgos, el coste, las necesidades logísticas.

Ernesto está por completo imbuido de pasión revolucionaria.

Entregado de lleno a los planes del Movimiento 26 de Julio, emprende un entrenamiento militar junto a sus compañeros. La idea es adquirir experiencia en combate para un objetivo mayúsculo: alcanzar las costas de Cuba e iniciar una oposición armada contra la dictadura de Batista.

El entrenamiento será impartido por un legendario combatiente de la Guerra Civil Española, el general Alberto Bayo, quien asume la responsabilidad de educar en los fragores del combate a la inexperta y heterogénea tropa. Uno de los que será protagonista excluyente de la gesta revolucionaria, el comandante Juan Almeida, recordará tiempo después su etapa preparatoria:

> En las noches, regularmente dos o tres veces a la semana, recibimos la visita del ex coronel español Bayo, para darnos la conferencia sobre la guerra de guerrillas y otras materias. Bayo es un hombre de unos 60 a 65 años, alto, grueso, adicto a las dietas, pero estas no lo hacen bajar de peso. Su cara es redonda, con perilla; rostro, aunque duro, noble; nariz afilada, frente brillosa bien entrada en la cabeza, cejas tupidas, con un ojo de mirada aguda, pues el otro lo perdió en la guerra contra los moros de Melilla, donde fue herido cuatro veces. Refleja en su pupila el dolor de lo que

había vivido y visto en la Guerra Civil Española, los montones de muertos que más tarde se supo pasaban del millón, para dejarnos sorprendidos con sus relatos, que escuchamos con atención. Nos cuenta de sus luchas contra los moros en Afrecha durante once años, sufrió de ellos la guerra de guerrillas y quedó tan profundamente impresionado con ese método de lucha, que lo implantó como una asignatura más en la Academia Militar donde trabajaba como profesor.

Ernesto mismo dirá que la primera impresión que tuvo tras escuchar a Bayo:

> ...fue la posibilidad de triunfo, que veía muy dudosa al enrolarme...

El grupo de expedicionarios se componía de unos sesenta combatientes, cuarenta de ellos provenientes de la colonia cubana en los Estados Unidos, distribuidos todos en seis pequeñas casas donde, al decir de Kalfon:

> ...se impone un régimen cuartelario, tan monástico como compartimentado.

Los entrenamientos se realizan en un rancho de Jalisco, e incluyen extensas y extenuantes caminatas que al Che le rememoran sus travesías anteriores por América. A pesar del

asma, que siempre lo acompaña, se destaca en la formación militar y en las tácticas de guerrillas, las que Bayo se esmera en infundir a sus hombres.

Almeida da una idea bastante exacta de lo que eran aquellos entrenamientos:

> Nuevos entrenamientos, ahora en plena campaña, de día y noche, levantados desde las cinco de la mañana. Además, la limpieza de la casa cuando estamos en ella. El desayuno es leche o queso de cabra, salpicado de moscas. En el monte la vida es dura, aunque se está mejor, porque al menos no sufrimos el mosquero. Hacemos caminatas de cinco o seis kilómetros, con pesada carga, más fusil, 250 tiros y la cantimplora. Después fueron caminatas de ocho o nueve kilómetros, y al final desde por la noche hasta las seis de la mañana. Marchas de horas, en silencio, sin fumar, en condiciones difíciles, cruce de farallones con sogas, salto, tendido, tiradas al suelo con el fusil después de venir corriendo, dormir a la intemperie, andar de noche sin luna agarrados unos de otros por una soga. De aquel entrenamiento somos calificados al final de cada jornada por el instructor y el profesor que comparten con nosotros en el lugar. El ex coronel español Bayo está como jefe del campamento para poner en práctica sus conferencias, pero sin hacer los recorridos diurnos y nocturnos por su edad, aunque sometido a las demás privaciones de la campaña, casi sin comida.

Ernesto, consagrado oficialmente médico de la expedición, no era excluido del entrenamiento, algo que, por otra parte, él jamás hubiera aceptado. Por el contrario, fiel a su prédica voluntarista, se esmera incluso más de lo pedido, e incluye en su preparación física el escalamiento del volcán Popocatépetl, de más de 5.000 metros, y horas de remar en el lago del parque de Chapultepec.

Por entonces nace también la primera hija del Che, Hilda Beatriz.

Las actividades del grupo de Fidel Castro no se le escapaban ni a la dictadura batistiana ni a las autoridades de México, y entre el 20 y el 24 de junio de 1956 una buena parte de los revolucionarios son encarcelados. Entre los presos se cuenta al propio Fidel y, por supuesto, también Ernesto, quien es detenido en uno de los campamentos del movimiento. María Antonia deja un pintoresco fresco de aquellas redadas policiales:

> Cuando caemos presos, nos llevan a la cárcel... una prisión de inmigrantes... Ahí lo veo al Che que tiene puesta una capa de agua de esas baratas, de nailon casi transparente, y un sombrerito viejo. Parece un espantapájaros y se lo digo para hacerlo reír.

El revuelo será enorme tanto en México como en Cuba, donde la dictadura pide la extradición de los revoltosos "comunistas". No obstante, la defensa de los detenidos es exitosa, amén de que los rebeldes realizan dos huelgas de hambre, y para el 9 de julio solo quedan encarcelados Fidel, Calixto García y el Che.

El 15 de julio de 1956 le vuelve a escribir a Celia, esta vez desde la cárcel, una carta que contiene reflexiones decisivas:

> No soy Cristo y filántropo, vieja, soy todo lo contrario de un Cristo, y la filantropía me parece cosa [Ilegible en el original], por las cosas creo, lucho con todas las armas a mi alcance y trato de dejar tendido al otro, en vez de dejarme clavar en una cruz o en cualquier otro lugar.

También señala en su misiva aspectos de la lucha en la cárcel, y más específicamente de las huelgas de hambre:

> ...dos veces la comenzamos, a la primera soltaron a 21 de los 24 detenidos, a la segunda anunciaron que soltarían a Fidel Castro, el jefe del Movimiento, eso sería mañana, y de producirse como lo anunciaron quedaríamos en la cárcel solo dos personas.

Los oficios del gobierno de Cárdenas logran rápidamente la liberación del líder del grupo, pero Ernesto, el único argentino y al que se le secuestró de su domicilio abundante literatura marxista, permanecerá preso junto a García.

> No quiero que creas –escribe Ernesto en la misma carta– como insinúa Hilda, que los dos que quedamos somos los sacrificados; somos simplemente los que tienen los papeles en [malas] condiciones y por eso no podemos valernos de los recursos que usaron nuestros compañeros.

También señala a su madre una cuestión que sobradamente se venía perfilando, es decir, su deseo de continuar la lucha revolucionaria:

> Mis proyectos son los de salir al país más cercano que me dé asilo, cosa difícil dada la fama interamericana que me han colgado, y allí estar listo para cuando mis servicios sean necesarios.

Ernesto se hallaba completamente identificado con la lucha de los exiliados cubanos, al grado que polemiza con su madre acerca de los consejos de precaución que esta le diera.

> Lo que [verdaderamente] me aterra es tu falta de comprensión de todo esto –se queja ante Celia desde su prisión mexicana– y tus consejos sobre la moderación,

El Che y Fidel aprovecharon la reclusión para intercambiar conceptos. Guevara sentía verdadera admiración por la retórica de Castro.

el egoísmo, etc., es decir las cualidades más execrables que pueda tener un individuo. No solo no soy moderado sino que trataré de no serlo nunca; cuando reconozca en mí que la llama sagrada ha dejado lugar a una tímida lucecita votiva, lo menos que pudiera hacer es ponerme a vomitar sobre mi propia mierda. En cuanto a tu llamado al moderado egoísmo, es decir, al individualismo ramplón y miedoso, debo decirte que hice mucho por liquidarlo, no precisamente a ese tipo desconocido, menguado, sino al otro, bohemio, despreocupado del vecino y con el sentimiento de autosuficiencia por la conciencia equivocada o no de mi propia fortaleza. En estos días de cárcel y en los anteriores de entrenamiento, me identifiqué totalmente con los compañeros de causa, me acuerdo de una frase que un día me pare-

El Che en la prisión Schultz.

ció imbécil o por lo menos extraña, referente a la identificación tan total entre todos los miembros de un cuerpo combatiente, que el concepto yo había desaparecido totalmente para dar lugar al concepto nosotros. Era una moral comunista y naturalmente puede parecer una exageración doctrinaria, pero realmente era (y es) lindo poder sentir esa remoción de nosotros. (Las manchas no son lágrimas de sangre, sino jugo de tomate.) Un profundo error tuyo es creer que de la moderación o el "moderado egoísmo" es de donde salen inventos mayúsculos u obras maestras de arte. Para toda obra grande se necesita pasión y para la Revolución se necesita pasión, y audacia en grandes dosis, cosas que tenemos como conjunto humano. Otra

> cosa rara que te noto es la repetida cita de Tata Dios, espero que no vuelvas a tu redil juvenil. Y concluye lapidariamente: No creo de vos que prefieras un hijo vivo y Barrabás a un hijo muerto en cualquier lugar cumpliendo con lo que él considere su deber.

A mediados de agosto, finalmente, Ernesto recupera la libertad. Para entonces el Che tiene 28 años y pende sobre él la sentencia de que debe abandonar el país en no más de diez días. Por supuesto, no hará nada de eso, y en la más absoluta clandestinidad seguirá ligado, ahora más que nunca, a la suerte de la Revolución Cubana, a punto de iniciarse en la propia isla.

La vida cotidiana se hace, de alguna manera, aun más difícil. Obligado a cambiar continuamente de residencia, la relación con Hilda también se deteriora, al grado de que su esposa decide regresar al Perú con la niña. Algunos autores enfatizan que las desavenencias matrimoniales enraizaron en disensos políticos, al punto que el "comunista" Guevara poco tenía que ver con la "aprista" de su mujer. De hecho, desde la salida de la cárcel de Ernesto, la pareja apenas se veía.

Mientras tanto, los proyectos de Fidel continuaban firmes en la línea de desembarcar en Cuba antes de fin de año, haciendo coincidir la "invasión" con una serie de levantamientos populares en la isla.

Sin embargo, el viaje se demorará un tiempo más.

Desde Cuba, los informes señalan que aún no están dadas las condiciones para el levantamiento en las ciudades más importantes y que es necesario postergar el inicio de las operaciones.

Fidel descubre un viejo yate, el "Granma", a su entender suficiente para ser acondicionado para el traslado de los combatientes, que ya suman más de ochenta. Entre ellos se encuentra Camilo Cienfuegos y Efigenio Ameijeiras, quienes en breve se convertirán en dos de los más emblemáticos comandantes revolucionarios.

Propiedad de un norteamericano, el "Granma" apenas mide poco menos de veinte metros y tiene capacidad para unas veinte personas. No obstante, la operación de compra se realiza y los revolucionarios se abocan ahora a acondicionar sus motores, de inicial baja potencia, y a prepararlo para albergar a la numerosa tropa y sus insumos esenciales.

Hacia el 24 de noviembre, los expedicionarios se agrupan en Tuxpan, prestos para culminar los últimos detalles del viaje.

Historia de un naufragio

En la Nochebuena de 1956, Fidel en persona supervisaba las operaciones de carga en el yate *Granma*. En la madrugada, todo estaba listo, y equipos y hombres se atiborraban incómodamente en la nave que, sin duda, no estaba lo suficientemente acondicionada para la expedición en curso.

Preparada para albergar 20 personas, llevaba ahora un total de 82, además de vituallas, armas y diverso equipamiento para cada uno de ellos. Tampoco las condiciones meteorológicas los acompañan precisamente. Incluso rige una prohibición de navegación a causa del mal tiempo.

No obstante, con las luces completamente apagadas, el yatecito se echa a la mar con su curiosa carga: un puñado de revolucionarios deseosos de abatir la dictadura de Batista y coronar con una democracia popular su epopeya. Aún no lo sabían, pero la mayoría no sobrevivirá para iniciar siquiera la lucha en Cuba.

¿Hasta dónde era consciente Ernesto de lo que se avecinaba?

En una carta a su madre, de octubre de 1956, había dejado sus impresiones más íntimas sobre el futuro próximo. La carta, que no debía ser entregada de inmediato, sino cuando "las papas quemaran de verdad", terminaba diciendo:

> ¿Y ahora qué? Ahora viene lo bravo, vieja; lo que nunca he rehuido y siempre me ha gustado. El cielo no se ha puesto negro, las constelaciones no se han dislocado ni ha habido inundaciones o huracanes demasiado insolentes; los signos son buenos. Auguran victoria. Pero si se equivocaran, que al fin hasta los dioses se equivocan, creo que podré decir como un poeta que no conoces: "Solo llevaré bajo tierra la pesadumbre de un canto inconcluso". Para evitar patetismos "pre mortem", esta carta saldrá cuando las papas quemen de verdad y entonces sabrás que tu hijo, en un soleado país americano, se puteará a sí mismo por no haber estudiado algo de cirugía para ayudar a un herido y puteará al gobierno mexicano que no lo dejó perfeccionar su ya respetable puntería para voltear muñecos con más soltura. Y la lucha será de espaldas a la pared, como en los himnos, hasta vencer o morir.

Lo melodramático de la carta, empero, tenía su buena cuota de predestinación. El *Granma* apenas se movía con una lentitud exasperante, mientras las inclemencias marinas hacían con él un auténtico *ballet* acuático, de tanto que las olas lo zarandeaban. Años más tarde, Fidel recordaría la experiencia del *Granma* de manera gráfica:

> ...aquella era una cáscara de nuez bailando en el Golfo de México.

El yate era, efectivamente, demasiado modesto para las pretensiones de los rebeldes, y apenas si entraban en él. Almeida señala:

> No se puede dar un paso sin que tropecemos unos con otros. Hay lugares donde para pasar tienes que apartar una cabeza, mover un brazo para buscar un firme del piso donde poner un pie y después el otro, e ir aguantándote de las personas según avanzas. Aquí no es fácil encontrar a alguien por la distribución interior que tiene el yate [...] Buscar a alguien es una proeza y por lo regular pocos lo hacen, cada cual está casi estacionario, menos los que van afuera, que cuando hay oleaje o alarma entran y hacen más difícil la situación y el movimiento [...] Todo cuanto está suelto se cae, hay ruidos de cosas y chirriar de maderas...

No obstante todas las incomodidades y fragilidades del viaje, la emoción embargaba al conjunto de los rebeldes:

> Aceleran los motores, sigue la llovizna, arrecia el viento, nos bañan las olas. El yate mete la proa y sale... Ya en las puertas del golfo, con las luces del yate encendidas, los rostros iluminados por la emoción y el corazón a tambor batiente, dejan escuchar nuestras voces cantando el Himno Nacional y la Marcha del 26 de Julio. ¡Viva Cuba! ¡Abajo el tirano!

Si las condiciones del barco no eran optimas, algo similar le pasaba al Che con su salud. Es más, si bien él era el médico de la expedición y se esforzaba por tratar a cada uno de los compañeros que padecían las inclemencias de un viaje tan zarandeado, durante la travesía tuvo sus recurrentes ataques de asma que no dejaron de acosarlo prácticamente ninguno de los ocho días de viaje.

Si había que evaluar el futuro por la capacidad del *Granma*, las cosas no auguraban ninguna buena noticia. La lentitud del yate, en parte por el mal tiempo y en parte por la sobrecarga, demoraba la travesía más de lo pronosticado. Así, a los cinco días de navegación previstos a un promedio de 10 nudos en vez de los 7,2 alcanzados, se agregarían otros dos, demora que resultaría fatal en tanto se descoordinaba lo resuelto con las redes urbanas de Cuba.

El factor sorpresa quedaba así anulado y se permitía al gobierno lidiar por separado con los revolucionarios. Primero con los de la provincia de Santiago, que urdieron una revuelta cuando el *Granma* aún estaba de viaje. Luego los militares tendrían tiempo para aguardar la llegada del yate, y dedicarse con unción a reprimir a los expedicionarios.

Para el 2 de enero de 1957, la revuelta de Santiago había sido controlada, y la dictadura

de Batista se aprestaba a dar un golpe definitivo a Fidel Castro y sus hombres, cuyos movimientos venían siguiendo sigilosamente desde México.

Cuando el *Granma* se estaba acercando a la costa, el navegante de la nave cayó al agua, perdiéndose valiosas horas bajo el amparo de la oscuridad en su búsqueda, hasta que finalmente fue hallado con vida. Luego el yate se dirigió al punto más cercano de la costa, encallando en un banco de arena a unos dos mil metros de la tierra firme. Si la travesía había sido dificultosa, el arribo resultó un auténtico desastre.

Pero lo peor estaba aún por venir.

> A pesar de todas las medidas de seguridad y todas las precauciones tomadas –señala Paco Ignacio Taibo II– el misterioso y aún hoy desconocido sujeto infiltrado en la red del 26 de Julio pudo transmitir una primera información, que aunque imprecisa, puso en estado de alerta a las tropas de la dictadura. El mensaje llegado al estado mayor del ejército decía: "Barco salió hoy con bastante personal y armas desde un puerto de México".

En definitiva, el mensaje reacomodaría la correlación de fuerzas de una manera drástica.

En efecto, en tierra firme aguardaba el ejército de Batista, que había movilizado en la opor-

Vieja foto que muestra el desenmbarco del *Granma*.

tunidad unos 35.000 hombres fuertemente armados y cubiertos por tanques y otros vehículos artillados. Además, las fuerzas del gobierno sumaban cobertura aérea, con 78 aviones de combate y de transporte, y naval, compuesta de 10 navíos de guerra y 15 guardacostas.

Por el lado revolucionario, apenas si se contaban 82 combatientes recientemente naufragados, exhaustos por el esfuerzo de ganar como se pudiera la costa, y habiendo perdido en el intento gran parte de su equipo.

Tras el encallamiento del yate, los miembros de la tripulación se arrojaron precipitada-

mente al agua, la mayoría de ellos con apenas lo que pudieron tomar de apuro.

Los dos kilómetros que los separaban de la seguridad de la tierra pertenecían a un manglar pantanoso, que hacía que la caminata estuviera permanentemente acompañada de caídas, las que a su vez provocaban la pérdida o la inutilidad de los equipos transportados.

No habían pasado unos pocos minutos después de que los primeros combatientes hubieran alcanzado la costa, cuando una nave de guerra del gobierno abrió fuego sobre aquellos, mientras la aviación comenzó a bombardear el manglar.

Los que aún quedaban en el *Granma* intentando salvar lo que se pudiera, debieron entonces abandonar su trabajo y avanzar, con las pocas fuerzas que les quedaban y con el agua hasta los hombros, hacia la costa.

El manglar pantanoso, que momentos antes se había convertido en un verdadero infierno de atravesar, ahora era un refugio para la tropa guerrillera, desperdigada en la zona. En medio del fragor, el Che tiene un nuevo ataque de asma que lo deja tendido, casi sin aliento, apenas recostado sobre unos arbustos.

El ataque sorpresivo del ejército cobró sus primeras víctimas, además de haber disuelto la compañía rebelde. De hecho, algunos revolucio-

narios llegaron a estar separados entre sí por varios kilómetros de distancia.

Para el día siguiente, poco quedaba de aquellos temerarios 82 combatientes, ahora acosados, como si fuera poco, por el hambre, ya que no habían conseguido salvar en la huida alimentos suficientes.

Un grupo alcanzó el cañaveral Alegría de Pío, donde se escondieron, descansaron y comieron caña. Por inexperiencia, los rebeldes dejaron rastros suficientes para ser perseguidos, e incluso algunos se dejaron ver al descubierto mientras los aviones de reconocimiento patrullaban la zona. No resulta extraño, pues, que el ejército lograra cercarlos y comenzara a disparar sobre ellos. Tiempo después, el Che recordaría aquellos dramáticos momentos:

> La sorpresa había sido demasiado grande, las balas demasiado nutridas... en ese momento un compañero dejó una caja de balas casi a mis pies, se lo indiqué y el hombre me contestó con cara que recuerdo perfectamente, por la angustia que reflejaba, algo así como "no es hora para cajas de balas", e inmediatamente siguió el camino del cañaveral.

Pero el episodio le serviría, además, para solidificar una identidad revolucionaria que estaba a punto de desaparecer por la acción

represiva de la dictadura. Efectivamente, casi de inmediato una ráfaga de balas sobrevoló cerca del Che y una de ellas lo hirió en el cuello. Parecía el fin y, de hecho, así lo vivió él mismo, que tiempo después recordaría:

> Inmediatamente, me puse a pensar en la mejor manera de morir en ese minuto que parecía todo perdido. Recordé un viejo cuento de Jack London, donde el protagonista, apoyado en un tronco de árbol se dispone a acabar con dignidad su vida...

Mas no sería ese el último suspiro.

Mientras de fondo se escuchaban los gritos, supuestamente de Camilo Cienfuegos, de "¡Aquí no se rinde nadie, carajo!", Almeida ordenó el repliegue sobre el cañaveral, salvando providencialmente a aquellos pocos sobrevivientes de lo que habría sido pensado como un desembarco libertador. Él mismo recuerda:

> Miro a un lado y encuentro al Che herido en el cuello. Está sentado, recostado a un árbol de tronco fino. Junto a él, su fusil, una mochila grande con los medicamentos e instrumental médico y una caja metálica de balas. Me tercio el fusil en bandolera, saco la pistola ametralladora, le pongo el culatín y comienzo a disparar hacia el lugar donde veo cómo se mueven los guardias de la tiranía... ¡Vamos! Le indico al Che: Recoge tu fusil, deja la mochila, coge la caja de balas y lo que

más puedas, pues no podemos cargar tanto. Ponte algo en el cuello, que estás sangrando mucho, y vámonos.

El Che completaría la versión de Almeida:

Quizás esa fue la primera vez que tuve planteado prácticamente ante mí el dilema de mi dedicación a la medicina o a mi deber de soldado revolucionario. Tenía delante una mochila llena de medicamentos y una caja de balas, las dos eran mucho peso para transportarlas juntas. Tomé la caja de balas, dejando la mochila para cruzar el claro que me separaba de las cañas.

Horas después de haber caminado al borde de sus fuerzas, el pequeño grupo ganó el monte que, al menos, le proporcionaría el tiempo necesario para reponer energías, aclarar las mentes y recuperar cierta capacidad de decisión sobre los inmediatos pasos a seguir. ¿Cuántos habían sobrevivido al sorpresivo ataque del ejército de Batista? La mayor parte de los 82 expedicionarios murió en combate, o fueron ejecutados o detenidos. Según distintos testimonios e investigaciones, solo doce alcanzaron a reagruparse, aunque algunos señalan una cifra levemente mayor.

Por supuesto, el gobierno festejó sobradamente su iniciativa militar, y la prensa de los

Granma fue la embarcación en la que 82 hombres viajaron desde México a Cuba. El barco no estaba preparado para tanta carga y la travesía fue angustiante.

días siguientes reflejó en sus ediciones la debacle de los rebeldes. Incluso se anunció grandilocuentemente la muerte de los hermanos Castro y del propio Guevara. No obstante, una carta del Che sería suficiente para reanimar a su atribulada familia. La breve misiva decía, no sin cierta ironía:

> Queridos viejos: Estoy perfectamente, gasté solo dos y me quedan cinco. Sigo trabajando en lo mismo, las noticias son esporádicas y lo seguirán siendo, pero confíen en que Dios sea argentino. Un gran abrazo a todos, Teté.

LOS INICIOS EN LA SIERRA MAESTRA

Tras el desastre inicial y la incipiente reorganización de los sobrevivientes del *Granma*, los rebeldes encararon la incursión sobre la Sierra Maestra, un cordón montañoso situado cerca de la costa sudeste de Cuba, y a unos 800 kilómetros de La Habana.

Con su forma alargada, la Sierra Maestra era dominada por su pico más alto, el Turquino, de casi 2.000 metros de altura, y hacia su extremo oriental lindaba con la ciudad de Santiago de Cuba, uno de los centros políticos más convulsionados en la lucha contra la dictadura de Batista.

La Sierra Maestra estaba, en la zona de operaciones guerrilleras, densamente cubierta por una selva tropical, y poblada por miles de guajiros que sostenían malamente una economía de subsistencia, basada en una agricultura tan precaria como sus condiciones de vida.

Vanguardia armada del Movimiento 26 de Julio, el pequeño grupo de guerrilleros asentó sus reales en aquella región, procurando obtener el apoyo de los campesinos y estableciendo contactos políticos con los diversos grupos opositores a la dictadura, muy especialmente entre los estudiantes y los trabajadores urbanos.

5

Haciendo revoluciones

Desde entonces, pues, todo el proceso de la Revolución Cubana conocerá dos actores de máximo protagonismo, caracterizados por su ámbito de lucha: los de la sierra y los del llano. Con el tiempo, el ámbito marcará también la importancia de los sujetos actuantes, y dos tendencias con claras diferencias políticas y metodológicas comenzarán a disputar la hegemonía de la dirección revolucionaria.

Pero no nos apresuremos.

En todo este proceso, el Che continuó con su característica voluntad de sacrificio, alternando su rol de combatiente con el de médico,

según la ocasión se prestara para uno u otro ejercicio. Tampoco lo abandonó el asma, convertido ya casi en un inseparable compañero de desventuras, y más aún en un ambiente húmedo que en nada favorecía la atenuación de sus reiterados ataques. Si de niño los médicos que lo atendieron desaconsejaron de inmediato la estadía de la familia en la selva misionera, ahora, casi treinta años más tarde, la selva volvía a ser el ámbito menos recomendable para su asma.

Sin embargo el Che estaba allí, desafiando las debilidades de su cuerpo. No obstante ello, o tal vez por ello mismo, la audacia y el espíritu de sacrificio que exhibió durante toda la campaña serrana muy pronto lo convirtieron en una figura destacada y querida. Y por sobre todas las cosas, en un revolucionario que sin medias tintas transmitía una confianza sin fronteras en la victoria final.

Quizá fue un episodio, sucedido en el naufragio del *Granma*, lo que lo convirtió en un guerrillero aplicado y estricto. En aquella oportunidad, la pérdida de un arma le valió la reprimenda del propio Fidel, quien a manera de castigo le retiró su arma de puño. La lección, que debió ser por lo demás dolorosa para el Che, se reconvirtió en una disciplina llevada al extremo, quizá como una manera de conjurar aquella falta inicial.

Como fuere, lo cierto es que Guevara exhibió desde entonces una personalidad y una identidad combativa por excelencia, que pronto se ganó la admiración de propios y extraños.

Paulatinamente sus dotes de organizador, de teórico y, sobre todo, de mando, lo catapultaron a la dirección misma de la guerrilla, de la que sin duda se convirtió en un referente casi de manera natural.

Su inflexibilidad se hizo particularmente patente cuando en febrero de 1957 un tribunal revolucionario halló culpable de traición a Eutimio Guerra, quien con sus delaciones al ejército de Batista le permitió a este bombardear las posiciones rebeldes en el pico Caracas y luego emboscarlos en los Altos de Espinosa. La información pasada al enemigo había resultado crucial, y la guerrilla incipiente estuvo a punto de ser completamente derrotada.

Sentenciado a muerte por traición, en las filas rebeldes se hizo un hondo silencio a la hora de efectuar el fusilamiento. Entonces personalmente el Che se hizo cargo de la ejecución, mostrando ante la inexperta tropa una disposición de llevar hasta las últimas consecuencias la acción contra los enemigos de la revolución.

Esta temeraria actitud, sin embargo, no obviaba una cierta tolerancia frente a los propios errores de sus compañeros, e inclusive una

humanitaria atención a los soldados de Batista que, heridos, fueron atendidos por el propio Guevara. Por supuesto, nada de contradictorio hay en estos comportamientos, sino una decidida aplicación de una ética y una moral que, con norte a un nuevo humanismo, el Che solía predicar en cuanta oportunidad tuviera a su alcance.

Durante esta primera fase de la lucha en la Sierra Maestra, los guerrilleros, escasos en número y sin mayores medios ni logística, se mantuvieron con cierta precariedad gracias al apoyo de la población campesina local y algunas provisiones llegadas desde las ciudades, pero en términos generales se trató de un periodo de aprendizaje y formación, donde la experiencia resultaba la principal materia prima que daba identidad al heterogéneo grupo.

En un principio, como es de prever, los recursos fueron muy escasos, al grado que no siempre la comida estaba garantizada. El Che mismo rememorará:

> El caballo fue más que un alimento de lujo, especie de prueba de fuego de la capacidad de adaptación de la gente. Los guajiros de nuestra guerrilla, indignados, se negaron a comer su ración de caballo y algunos consideraban casi un asesino a Manuel Fajardo, cuyo oficio en la paz, matarife, era utilizado en acontecimientos como este, cuando sacrificó el primer animal. Ese

> primer caballo perteneció a un campesino llamado Popa, del otro lado del río La Plata. Popa debe ya saber leer, después de la campaña de alfabetización, y podrá entonces, si llega a sus manos la revista "Verde Olivo" (donde se publicó originalmente este relato) recordar aquella noche en que tres guerrilleros patibularios golpearon las puertas de su bohío, lo confundieron además, injustamente, con un chivato y le quitaron aquel caballo viejo, con grandes mataduras en el lomo, que fuera nuestra pitanza horas después y cuya carne constituyera un manjar exquisito para algunos y una prueba para los estómagos prejuiciados de los campesinos, que creían estar cometiendo un acto de canibalismo mientras masticaban al viejo amigo del hombre.

Los combates eran escasos, tratándose más bien de escaramuzas, pero esenciales para conformar una moral de lucha a la vez que se relacionaban con los sectores más explotados de la isla.

De alguna manera, la infiltración y la delación continuaron siendo, por el momento, algunos de los principales rivales de la columna rebelde. Aún así, los enfrentamientos con el ejército regular del gobierno en La Paz y en Arroyo del Infierno, constituyeron los primeros hitos de la campaña revolucionaria. A su vez, la dictadura pronto se mostró incapaz de neutrali-

zar seriamente a los guerrilleros, a pesar de sus bombardeos aéreos y las emboscadas.

Más redituable para los revolucionarios fue, en aquellos primeros meses, la palabra de Fidel Castro, indiscutido jefe rebelde, difundida ampliamente gracias a una nota periodística que le hiciera Herbert Matthews, cronista del influyente *New York Times*, y publicada en tres entregas sucesivas. El impacto que significó el reportaje fue notable, y la figura de Castro, como así también la de su movimiento, alcanzó dimensiones nacionales generando, además, una sostenida corriente de apoyo a nivel continental. Públicamente, la dictadura de Batista era denunciada como un cofre sin fondo de corrupción y autoritarismo, que convertía a Cuba en una mera sala de juego y prostitución tanto para las propias clases dirigentes de la isla, como para los "hombres de negocio" de los Estados Unidos.

Por entonces Castro tomaba vuelo como un infatigable e incorruptible batallador por la democracia, un valor que se erguía como la única garantía de evitar un colapso político y social definitivo en Cuba. Poco después, a fines de abril del mismo año, la voz de Castro fue difundida internacionalmente, esta vez por la cadena informativa de la CBS norteamericana.

Mientras Fidel hacía una publicidad extraordinaria para el movimiento, el Che progresaba en su propia formación guerrillera, cosechando por sus intervenciones como médico cada vez mayor protagonismo y respeto entre sus hombres y los campesinos de la región.

Para mayo, aquella veintena de hombres dispersos y mal equipados ya conformaban una columna de poco más de 120 combatientes, convenientemente organizados bajo una estructura política y militar que le había conferido no solo una idea revolucionaria, sino también una disciplina y experiencia capaz de proponerse objetivos de combate de mayor envergadura. Fruto de semejante crecimiento fue el ataque al cuartel de El Uvero, el más importante que se haya realizado hasta entonces.

El primer gran combate

Para fines de mayo, la comandancia rebelde había decidido realizar su acción más osada, el ataque al cuartel de El Uvero. Por entonces no todas eran buenas perspectivas. De hecho, el 25 de mayo se tuvo conocimiento de la desastrosa experiencia de un grupo de expedicionarios que, de forma similar a lo acontecido con el *Granma*, habían intentado desembarcar por la zona de

Mayari. Se trataba del yate "El Corintia", en el que se había embarcado un grupo de revolucionarios dirigidos por Calixto García. El propio Che anotará en sus *Pasajes de la Guerra revolucionaria*:

> La noticia de este desembarco nos hizo ver la necesidad imperiosa de distraer fuerzas del enemigo para tratar de que aquella gente llegara a algún lugar donde pudiera reorganizarse y empezar sus acciones. Todo esto lo hacíamos por solidaridad con los elementos combatientes, aunque no conocíamos ni la composición social ni los reales propósitos de este desembarco.

El desastre de "El Corintia", pues, decidió de alguna manera la ejecución de la acción de El Uvero. Incluso el Che no estuvo de acuerdo en un principio con realizarla, resultándole más importante por el momento hostigar a los camiones con soldados y pertrechos del ejército de Batista, pero Fidel Castro insistió e inclinó, finalmente, la decisión. El Che relata las instancias previas al combate:

> Decidido el punto de ataque, nos quedaba precisar exactamente la forma en que se haría; teníamos que solucionar problemas importantes como averiguar el número de soldados existentes, el número de postas, el

tipo de comunicaciones que usaban, los caminos de acceso, la población civil y su distribución, etc.

El 27 de mayo se reunió el Estado Mayor rebelde con todos los oficiales, y Fidel anunció la inminencia del ataque. Toda la tropa revolucionaria debía quedar a partir de ese momento expectante de la iniciación de la lucha. Continúa relatando el Che:

> Por la noche nos pusimos en marcha; era una caminata larga, de unos 16 kilómetros, pero totalmente en bajada por los caminos que había construido especialmente para sus aserraderos la Compañía Babun. Empleamos, sin embargo, unas ocho horas de marcha pues se vio interrumpida por una serie de precauciones extras que había que tomar, sobre todo al ir acercándonos al lugar de peligro. Al final se dieron las órdenes de ataque, que eran muy simples; había que tomar las postas y acribillar a balazos al cuartel de madera.

Los rebeldes sabían que el cuartel no tenía suficientes defensas y que un ataque sorpresivo debía bastar para rendirlo. Sin embargo, las cosas no sucedieron de la manera prevista y la resistencia de los soldados fue encarnizada.

Finalmente, tras casi tres horas de combates, los rebeldes lograron tomar el cuartel. Los diferentes sectores de la tropa rebelde, que

habían atacado desde distintos puntos, ahora ingresaban desde sus frentes haciendo capturas de enemigos. El Che agrega:

> *...por todos lados empezaron a surgir gritos de rendición.*

El combate enfrentó a unos 80 rebeldes contra 53 soldados regulares del ejército de Batista, quedando como saldo casi una tercera parte del total muerta o herida.

Debe reconocerse –señala el Che– que por ambos lados se hizo derroche de coraje.

Y remarca a manera de balance:

> Para nosotros fue, además, la victoria que marcó la mayoría de edad de nuestra guerrilla. A partir de este combate, nuestra moral se acrecentó enormemente, nuestra decisión y nuestras esperanzas de triunfo aumentaron también, simultáneamente con la victoria y, aunque los meses siguientes fueron de dura prueba, ya estábamos en posesión del secreto de la victoria sobre el enemigo.

Fue tal la cantidad de heridos de ambos bandos que el Che no daba abasto para atenderlos, y mientras Fidel retiró preventivamente a

sus fuerzas a un lugar más seguro, Guevara permaneció brindando los auxilios necesarios a los más necesitados, a la vez que negoció con el médico del ejército enemigo la atención de los heridos más graves con la condición de que los mismos fueran tratados como prisioneros de guerra, mientras que él mismo se ofrecía para curar a los heridos del ejército batistiano.

Realizado el pacto, el Che se retiró con siete heridos de la tropa guerrillera, y los mantuvo bajo su cuidado durante casi dos meses, con la sola colaboración de otros cuatro rebeldes.

El Che, si bien era médico y ejercía de tal, tenía puestos sus mejores esfuerzos en el diseño estratégico, por lo que la abundancia de pacientes de cierta seriedad lo conmovió hondamente.

> El reencuentro con la profesión médica –escribirá recordando aquellos momentos– tuvo para mí algunos momentos muy emocionantes. El primer herido que atendí, dada su gravedad, fue el compañero Cilleros. Una bala había partido su brazo derecho y, tras atravesar el pulmón, aparentemente se había incrustado en su columna, privándolo del movimiento de las dos piernas. Su estado era gravísimo y apenas si me fue posible darle algún calmante y ceñirle apretadamente el tórax para que respirara mejor. Tratamos de salvarlo en la única forma posible en esos momentos, llevándonos los catorce soldados prisioneros con nosotros y

> dejando a dos heridos, Leal y Cilleros, en poder del enemigo y con la garantía del honor del médico del puesto. Cuando se lo comuniqué a Cilleros, diciéndole las palabras reconfortantes de rigor, me saludó con una sonrisa triste que podía decir más que todas las palabras en ese momento y que expresaba su convicción de que todo había acabado... Me despedí –continúa el Che– lo más cariñosamente que pude y con enorme dolor, de los dos combatientes que quedaban en manos del enemigo. Ellos clamaban que preferían morir en nuestras tropas...

Como era previsible, Cilleros no sobrevivió, aunque el otro soldado rebelde logró salvar su vida.

Durante ese periodo en el que se mantuvo aislado de la columna madre de Fidel –todo el mes de junio de 1957– Guevara no solo ofició como médico y hasta como odontólogo, sino además como un auténtico jefe, organizando las tareas de su curioso grupito, reclutando nuevos guerrilleros y hasta estableciendo un eficaz sistema de aprovisionamiento con la ciudad de Santiago. Para cuando se reencontró con la columna de Fidel, el 17 de julio, el Che conducía a 26 combatientes, es decir, más del doble de cuando inició su misión.

La acción de Guevara había sido sobresaliente, y posiblemente le generó a Castro la sufi-

ciente confianza para dar un paso que resultará crucial para la suerte de los rebeldes: la formación de una nueva columna que, compuesta de 75 hombres, debía encargarse de diversificar el frente de lucha.

El Che, ascendido por su actuación anterior a capitán, sería designado para dirigir la nueva columna, pero esta vez con el grado de comandante, grado que hasta entonces solo había ostentado el propio Fidel.

En verdad, el nombramiento del Che aconteció sin ningún formalismo, sino más bien, para utilizar sus propios términos, de "soslayo". Por entonces había caído en combate junto a otros revolucionarios urbanos el hermano de Frank País, Josué, y los oficiales de la sierra enviaron una carta a Frank. El documento iba firmado por aquellos que sabían hacerlo, y al lado se colocaba el grado que ostentaban en el Ejército Rebelde. Cuando se puso el nombre de Guevara, el propio Fidel ordenó anotar al costado "Comandante".

De esa manera completamente informal, el Che quedó enterado de su nueva designación. La insignia era una pequeña estrella dorada que Celia Sánchez le entregó personalmente, y que desde entonces lucirá en su boina negra, y además recibió un reloj de pulsera.

CHE COMANDANTE

Como una manera de sobredimensionar las propias fuerzas –quizás para confundir al enemigo y, a la vez, dar una idea a la población y a futuros aliados de un poderío que en verdad no era tal– la segunda columna fue denominada "Cuarta".

Con el Che a la cabeza, estaba conformada por varias figuras llamadas a tener un protagonismo importante en el proceso revolucionario, como Juan Almeida, Ramiro Valdés, y posteriormente, el propio Camilo Cienfuegos.

La característica de la columna la explica el propio Guevara:

> ...esta columna a la que llamaban el "desalojo campesino", estaba constituida por 75 hombres, heterogéneamente vestidos y heterogéneamente armados, sin embargo me sentía muy orgulloso de ellos.

Efectivamente, los hombres iban vestidos de paisanos en su gran mayoría, y el armamento que exhibían, como bien dice Paco Taibo II, parecía sacado de un museo: viejos colt, rémington, escopetas, rifles de tiro al blanco y un puñado de armas de mejor calidad y grueso calibre que les habían sido arrebatadas a los soldados del ejército regular.

Camilo Cienfuegos era uno de los comandantes de la revolución. Su participación fue fundamental para el triunfo de la misma.

Así, malamente preparados, pero con una dirección firme, la columna asentó sus reales en el sector este del pico Turquino, lindante a la región de El Hombrito.

Muy pronto se las ingeniarán para darle trabajo a las fuerzas de Batista.

La primera acción de cierta envergadura de la columna del Che fue el ataque al cuartel de Bueyecito, un poblado pequeño donde el Movimiento 26 de Julio tenía algunos seguidores.

El plan diseñado incluía un ataque sorpresivo por delante y detrás de las instalaciones, el que debía desencadenarse a partir de una señal

de luces que se daría con un automóvil que se estacionaría a la hora señalada frente al cuartel. No obstante, como sucediera tantas veces con los planes diseñados, nada ocurriría según lo previsto.

Ramiro, que debía atacar por detrás, había perdido a buena parte de su tropa en la oscuridad y el famoso automóvil ni siquiera llegó a salir. Por su parte, el Che, que encabezaba el ataque frontal, tuvo un encuentro fortuito con un soldado enemigo. Fueron unos pocos instantes en que todo parecía decidirse según quien atinara a disparar primero. Guevara lo hizo, pero su arma se trabó y debió huir corriendo bajo una lluvia de balas que, increíblemente, no dieron en el blanco.

Lo que parecía un desastre, sin embargo, no lo fue al final.

La balacera sirvió para que Ramiro iniciara su ataque por retaguardia, y lo hizo con tal impulso que en minutos el cuartel quedó reducido y en manos rebeldes. Los resultados fueron la quema del cuartel, seis soldados heridos y la obtención de equipo y armamento. El costo de las fuerzas rebeldes fue de un guerrillero muerto.

Desde el punto de vista estrictamente militar, el combate de El Bueyecito apenas significó una suerte de escaramuza: las cifras de víctimas son, para el caso, más que elocuentes. No

obstante, desde el punto de vista político, supuso mucho más. Por entonces, Fidel había organizado otras operaciones en la zona de Santiago, y el plan del Che representó en ese contexto una diversificación y ampliación de la lucha que ilusionó, por un lado, a los opositores del gobierno, y, por otro lado, mereció una redoblada atención y preocupación del ejército batistiano en sofocar a los rebeldes.

De hecho, según el balance del propio Guevara, después de la acción de El Bueyecito:

> …se marca más o menos el momento en que las tropas batistianas dejan definitivamente la Sierra y solamente penetra en ella, con rasgos de audacia y muy de vez en cuando, Sánchez Mosquera, el más bravo, el más asesino y uno de los más ladrones de todos los jefes militares que tenía Batista.

Paulatinamente, la columna del Che crece con la incorporación de voluntarios. A muchos de ellos, incluso, debe rechazarlos en función de su corta edad, pero igualmente los adolescentes comienzan a tener un lugar destacado en la Cuarta Columna. Así, guajiritos, dependientes de comercio, muchachitos de zonas marginadas se fueron incorporando a las fuerzas del Che, muchos de ellos con las armas que se proveye-

ron solos, robándolas a familiares o a algún policía o soldado desprevenido.

Algunos serán conocidos como los "escopeteros" y tendrán su lugar en ocasionales encuentros con el ejército. Otros, como Harry Villegas y Alberto Castellanos, seguirán al Che hasta sus últimos pasos.

La columna del Che no solo se entrena y combate episódicamente. Asentada en el valle de El Hombrito, desarrolla una intensa actividad social con los pobladores de la zona. El Che mandará construir un hospital, una panadería, una armería, una zapatería y una talabartería para crear una infraestructura de apoyo para su columna y para la base social que la sustenta, a la vez que combatirá el analfabetismo tanto de su propia tropa como de los campesinos de la zona.

Todas estas acciones concretas contribuirán inmensamente no solo a su ya crecida fama particular, sino, sobre todo, a ganar adeptos para la causa revolucionaria. Además, el Che se esmera en brindarle a su tropa una herramienta de educación revolucionaria que la acerque aún más a los campesinos de la Sierra Maestra, y dirige la publicación de *El Cubano Libre*, órgano propagandístico del ejército rebelde.

Para fines de agosto, la noticia de una ofensiva gubernamental en la zona de El Hombrito

lo pone en guardia y moviliza sus fuerzas. Intentará entonces salir a su encuentro, dividiendo sus fuerzas sobre los posibles accesos, pero las diferencias numéricas y de armamento son demasiado grandes.

Luego de las primeras escaramuzas, el ejército se repliega, pero vuelve ordenadamente a la carga bajo la cobertura de fuego de bazucas. Guevara tiene frente a sí una fuerza de 205 soldados a los que debe enfrentar con apenas un poco más de 70 hombres malamente armados y deficientemente entrenados. Decidirá entonces replegarse por escuadras hacia la sierra.

La llegada de refuerzos, enviados por Fidel, consolidó su posición, y hacia el anochecer la ofensiva del ejército regular se detenía por completo. Apenas habían intercambiado algunos disparos a distancia, pero así como la tropa rebelde exhibía cierta inoperancia y falta de efectividad, las del gobierno daban sobradas muestras de nula disposición para el combate.

De esta manera, lo que apenas eran unos pocos disparos entre ambas fuerzas, se convertían en auténticos triunfos políticos rebeldes y vergonzantes derrotas de la dictadura.

Por entonces Fidel también progresa territorialmente. La guerra de guerrillas se expande paulatinamente sobre la base de una voluntad física y una decidida convicción política. Todo

lo contrario de lo que sucede entre las tropas enemigas.

Los éxitos de los hombres de la “sierra” ponen en tensión las relaciones con los del “llano”, lo que resulta notoriamente evidente en el Che, quien cada vez se muestra más renuente a la dirección de la oposición urbana. Se tratará de una controversia que no tardará en manifestarse públicamente.

Mientras tanto, en la columna del Che hay problemas más urgentes que resolver: la deserción de algunos integrantes y la localización de “chivatos”, infiltrados que trabajan para las fuerzas gubernamentales. El Che será expeditivo y riguroso: para espías, solo cabe la ejecución. La cuestión del orden y la disciplina cobra entonces una importancia central. Y el ejemplo deben darlo los combatientes revolucionarios. No se tolera ningún atisbo de bandolerismo ni de aprovechamiento de situaciones de guerra para asesinar y violar mujeres, y los bandidos serán especialmente buscados por los guerrilleros para imponer un nuevo orden en la región.

Un hecho insólito traería conmoción a la columna del Che. Lalo Sardinas, uno de los jefes de la columna, intentó castigar físicamente a un combatiente por una insubordinación, y al tratar de golpearlo con su pistola, se le escapó un tiro que mató al castigado en el acto.

El debate se generalizó de la mano de la indignación. Muchos querían vengar la muerte del combatiente con la vida del propio Sardinas, y fue tal el revuelo que se armó, que el propio Fidel debió intervenir para evitar cualquier manifestación de justicia por mano propia. En el fondo, quedaba pendiendo la cuestión de la disciplina y la moral de los revolucionarios. El diferendo se resolvió con una sentencia ejemplar: Sardinas, degradado, debía ganarse de nuevo un lugar en la columna combatiendo solo con un pequeño grupo, contra el ejército de Batista. La sentencia no convenció a varios guerrilleros que pedían la pena máxima para el expulsado, y como respuesta un grupo considerable de combatientes abandonó la columna.

Las fuerzas del Che, pues, quedaron sumamente debilitadas, lo que en parte fue matizado con la incorporación de Camilo Cienfuegos a las mismas, justamente para suplantar a Sardinas. A la vez, como una manera de reafirmar la inclaudicable convicción de terminar con cualquier tipo de bandolerismo en la región, la columna del Che se pone en marcha al día siguiente para perseguir a los delincuentes que asolan la zona, y durante las siguientes semanas se producirán varias detenciones y ejecuciones de bandidos.

Por entonces, noviembre de 1957, el gobierno lanza una nueva ofensiva contra los re-

beldes de El Hombrito, esta vez dirigida por un hombre de reconocida fama sanguinaria: el general Ángel Sánchez Mosquera, quien implementará una táctica de emboscadas, torturas y arrasamiento de chozas infundiendo terror. Específicamente, las órdenes recibidas por Mosquera eran la destrucción de la base de Guevara en El Hombrito, y la persecución hasta el aniquilamiento de toda su columna.

Desde entonces, el Che inició una especial lucha contra Mosquera, que incluirá desde maniobras de evasión hasta emboscadas contra sus fuerzas. De todos modos, como consecuencia del accionar de aquél, el Che debió mudar su base permanente a La Mesa, donde volvió a levantar toda su infraestructura y puso en funcionamiento un nuevo instrumento de difusión revolucionaria: *Radio Rebelde*, cuya primera emisión data del 24 de febrero de 1958. Queda en él, empero, una cierta sensación de desilusión y hasta una herida en su pie, durante una de las escaramuzas.

Paco Taibo II concluye sobre aquellos momentos cruciales:

> Han pasado cuatro meses y medio desde que lo han nombrado comandante y el Che se siente fracasado. Ha dirigido unas cuantas escaramuzas exitosas [...] ha tenido que replegarse varias veces, ha tenido que ceder su querida base de El Hombrito; tiene choques continuos con la dirección del Movimiento en el llano y ha

desoído los consejos de Fidel arriesgándose demasiado, por lo que ahora está herido.

No obstante su pesar y cierto balance desventurado, su figura ha crecido más que nunca y Fidel piensa en él como un dirigente esencial para el proyecto revolucionario.

PRIMEROS BALANCES

Para inicios de 1958, la gesta de aquellos pocos sobrevivientes del *Granma* era ya cosa seria. Con dos frentes abiertos en la Sierra Maestra y una extendida red de apoyo urbana, el movimiento rebelde paulatinamente ganaba simpatías, mientras que la dictadura de Batista solo se mantenía en un inestable equilibrio, jaqueada por la crisis local y un cada vez mayor aislamiento de sus aliados internacionales.

Fidel Castro se había catapultado no solo como un jefe guerrillero, sino como una posible salida política para amplios sectores de la sociedad cubana y de la comunidad internacional que seguía con cierta preocupación los acontecimientos signados por la debacle del Estado cubano. No en vano Fidel era buscado afanosamente por la prensa y los servicios radiales más

importantes del mundo, que destacaban su lucha patriótica y democrática.

Impotente, el gobierno de Batista apenas podía apelar a una represión salvaje e indiscriminada, a falta de presentar éxitos reales en su lucha contra los rebeldes. Incluso llegó a secuestrar a veintitrés militantes del Movimiento 26 de Julio para fusilarlos al pie de la Sierra Maestra, simulando que había sido un choque contra las fuerzas guerrilleras. El hecho no tardó en aclararse, y la indignación contra Batista alcanzó uno de los picos más altos desde el inicio de las operaciones insurgentes.

En febrero, los choques entre ambos bandos aumentaron en intensidad, en especial cuando los castristas atacaron el cuartel de Pino del Agua, donde se produjeron importantes bajas en las dos fuerzas.

Guevara, por su parte, realizaba su balance, como era habitual en él. Tiempo más tarde escribiría:

> Al iniciarse el año 1958 cumplimos más de uno de nuestra lucha [....]. Nuestra situación militar se consolidaba y era amplio el territorio que ocupábamos. Estábamos en una paz armada con Batista, sus capitanes no subían a la Sierra y nuestras tropas no podían bajar mucho, el cerco se estrechaba todo lo que podía el enemigo, pero nuestras tropas lo burlaban aun.

Por otra parte, la fuerza revelde se había desarrollado organizativamente lo suficiente como para contar con cierta logística en vituallas, pertrechos y medicinas, aunque aún seguía siendo un ejército incomparablemente más pequeño y mal equipado en relación a su enemigo. No obstante, se las ingeniaban para que nada de lo elemental faltara en la manigua, desde alimentación a balas. Incluso hicieron suficientes progresos en materia de difusión de sus ideas, no solo merced a sus propias experimentaciones sobre terreno liberado, en especial en cuanto a justicia y producción se refiere, sino también gracias a la utilización del periódico *El Cubano Libre* y la pequeña planta transmisora que en las primeras semanas de febrero comenzó a radiar. Los adelantos incluyeron hasta pequeños dinamos para establecer en los campamentos luz eléctrica propia.

Interludio periodístico

Para entonces ya estaba en la Sierra Maestra una figura que sería fundamental en los futuros proyectos del Che: Jorge Ricardo Masetti, un joven periodista argentino de radio *El Mundo*.

Masetti había emprendido un viaje a La Habana con la intención de reportear a Castro y

a Guevara, y tras casi setenta días en la sierra se había convertido en un miliciano más. La entrevista que le hizo Masetti a los dos líderes revolucionarios fue un suceso que contribuyó a difundir la experiencia revolucionaria como ninguna otra hasta el momento, muy especialmente porque este reportaje fue el primero que se escuchó no solo en toda la isla, sino también en casi todo el continente. De esta manera, los ideales revolucionarios penetraron aún más entre la población local, a la vez que se sumaron más y más voces de apoyo de parte de la comunidad latinoamericana.

Masetti, cuyas cualidades y calidades periodísticas quedarán definitivamente configuradas en su libro *Los que luchan y los que lloran*, donde vuelca justamente sus entrevistas a los líderes rebeldes, ensaya una serie de preguntas que servirán para esclarecer a millares de escuchas en toda la isla:

> –"¿Por qué estás aquí?" Él había encendido su pipa y yo mi tabaco y nos acomodamos para una conversación que sabíamos larga. Me contestó con su tono tranquilo, que los cubanos le creían argentino y que yo calificaba como una mezcla de cubano y mexicano:
>
> –"Estoy aquí, sencillamente, porque considero que la única forma de liberar a América de dictadores es derribándolos. Ayudando a su caída de cualquier forma. Y cuanto más directa mejor".

–"¿Y no temés que se pueda calificar tu intervención en los asuntos internos de una patria que no es la tuya, como una intromisión?"

–"En primer lugar, yo considero mi patria no solamente a la Argentina, sino a toda América. Tengo antecedentes tan gloriosos como el de Martí y es precisamente en su tierra en donde yo me atengo a su doctrina. Además, no puedo concebir que se llame intromisión al darme personalmente, al darme entero, al ofrecer mi sangre por una causa que considero justa y popular, al ayudar a un pueblo a liberarse de una tiranía, que sí admite la intromisión de una potencia extranjera que le ayuda con armas, con aviones, con dinero y con oficiales instructores. Ningún país hasta ahora ha denunciado la intromisión norteamericana en los asuntos cubanos ni ningún diario acusa a los yanquis de ayudar a Batista a masacrar a su pueblo. Pero muchos se ocupan de mí. Yo soy el extranjero entremetido que ayuda a los rebeldes con su carne y su sangre. Los que proporcionan las armas para una guerra interna no son entremetidos. Yo sí". Guevara aprovechó la pausa para encender su pipa apagada. Todo lo que había dicho había salido de unos labios que parecían sonreír constantemente y sin ningún énfasis, de manera totalmente impersonal. En cambio, yo estaba absolutamente serio. Sabía que tenía que hacer aún muchas preguntas que ya juzgaba absurdas.

Masetti continuó con su interrogatorio:

–"¿Y qué hay del comunismo de Fidel Castro?" Ahora la sonrisa se dibujó netamente. Dio una larga chupada a la pipa chorreante de saliva y me contestó con el mismo tono despreocupado de antes:

–"Fidel no es comunista. Si lo fuese, tendría al menos un poco más de armas. Pero esta revolución es exclusivamente cubana. O mejor dicho, latinoamericana. Políticamente podría calificárselo a Fidel y a su movimiento, como 'nacionalista revolucionario'. Por supuesto que es antiyanqui, en la medida que los yanquis sean antirrevolucionarios. Pero en realidad no esgrimimos un antiyanquismo proselitista".

"Estamos contra Norteamérica –recalcó para aclarar perfectamente el concepto– porque Norteamérica está contra nuestros pueblos". Me quedé callado para que siguiese hablando. Hacía un calor espantoso y el humo caliente del tabaco fresco era tan tonificante como el café que tomábamos en grandes vasos. La pipa en forma de s de Guevara colgaba humeante y se movía cadenciosamente a medida que seguía la charla con melodía cubana-mexicana.

–"Al que más atacan con el asunto comunista es a mí. No hubo periodista yanqui que llegase a la Sierra, que no comenzase preguntándome cuál fue mi actuación en el Partido Comunista de Guatemala –dando ya por sentado que actué en el partido comunista de ese país–, solo porque fui y soy un decidido admirador del coronel Jacobo Arbenz".

Las preguntas de Masetti lo llevaron a realizar un breve *racconto* de su actuación en Guatemala y su exilio posterior en México:

> *...cuando ya los agentes del FBI estaban deteniendo y haciendo matar directamente a todos los que iban a significar un peligro para el gobierno de la United Fruit. En tierra azteca me volví a encontrar con algunos elementos del 26 de Julio que yo había conocido en Guatemala y trabé amistad con Raúl Castro, el hermano menor de Fidel. Él me presentó al jefe del Movimiento, cuando ya estaban planeando la invasión a Cuba.*

Masetti, en verdad, no debía preguntar demasiado: Guevara hablaba a sus anchas y todo indicaba que le encantaba hacerlo. Paulatinamente, incluso, fueron acercándose rebeldes que escuchaban atentamente el diálogo entre aquellos dos argentinos que, inmersos en la sierra cubana, labraban una historia que tendrá una repercusión mundial.

El Che, pues, volvió a recordar sus inicios con Fidel:

> Charlé con Fidel toda una noche. Y al amanecer, ya era el médico de una futura expedición. En realidad, después de la experiencia vivida a través de mis caminatas por toda Latinoamérica y del remate de Guatemala, no hacía falta mucho para incitarme a entrar en

Raúl Castro, hermano menor de Fidel, fue el encargado de contactar al Che para sumarlo a la lucha revolucionaria en Cuba.

cualquier revolución contra un tirano, pero Fidel me impresionó como un hombre extraordinario. Las cosas más imposibles eran las que encaraba y resolvía. Tenía una fe excepcional en que una vez que saliese hacia Cuba, iba a llegar. Que una vez llegado iba a pelear. Y que peleando, iba a ganar. Compartí su optimismo.

Siempre con su pipa entre los labios y la atención de todos los concurrentes, Masetti continuó entrevistando a un Guevara cada vez más a gusto con el curso y el tono de la charla. Luego pasarían a recordar el desembarco del *Granma* y el ataque del ejército de Batista.

Una carcajada se le escapó entonces al Che, al recordar que en ese marco, en el que estaban siendo atacados por aire, mar y tierra, y toda la empresa parecía venirse abajo, Fidel había exclamado a viva voz:

> Oigan cómo nos tiran. Están aterrorizados. Nos temen porque saben que vamos a acabar con ellos.

La entrevista de Masetti permite a Guevara analizar aspectos fundamentales que explican, al menos en parte, el éxito del ejército rebelde. Le dice Guevara a su entrevistador:

> Pero a poco el campesinado fue advirtiendo que los barbudos que andábamos descalzados, constituíamos precisamente todo lo contrario de los guardias que nos buscaban. Mientras el ejército de Batista se apropiaba de todo cuanto le conviniese de los bohíos –hasta las mujeres, por supuesto– la gente de Fidel Castro respetaba las propiedades de los guajiros y pagaba generosamente todo cuanto consumía. Nosotros notábamos no sin asombro, que los campesinos se desconcertaban ante nuestro modo de actuar. Estaban acostumbrados al trato del ejército batistiano. Poco a poco se fueron haciendo verdaderos amigos y a medida que librábamos encuentros con los grupos de guardias que podíamos sorprender en las sierras, muchos manifestaban su deseo de unirse a nosotros. Pero esos primeros combates en busca de armas, esas emboscadas que comenzaron a preocupar a

los guardias, fueron también el comienzo de la más feroz ola de terrorismo que pueda imaginarse. En todo campesino se veía a un rebelde en potencia y se le daba muerte. Si se enteraban de que habíamos pasado por una zona determinada, incendiaban los bohíos a los que pudimos llegar. Si llegaban a una finca y no encontraban hombres –porque estaban trabajando o en el pueblo– imaginaban que se habrían incorporado a nuestras filas, que cada día eran más numerosas, y fusilaban a todos los que quedaban. El terrorismo implantado por el ejército de Batista fue, indudablemente, nuestro más eficaz aliado en los primeros tiempos. La demostración más brutalmente elocuente para el campesinado de que era necesario terminar con el régimen batistiano.

La revolución se expande

La situación maduraba para iniciar operaciones de mayor envergadura, y a fines de febrero la dirección revolucionaria creaba tres nuevas columnas, las que fueron asignadas a los ahora comandantes Camilo Cienfuegos, Raúl Castro y Juan Almeida. La Sierra Maestra quedaba completamente cubierta, a la vez que un nuevo frente se instalaba al norte de la ciudad de Santiago, en la Sierra Cristal.

El poder creciente de la guerrilla llevó a decidir algo más que nuevas operaciones milita-

res. Había llegado también el turno de definir el futuro político del movimiento. Si hasta entonces la sierra y el llano habían mostrado malestares recíprocos, ahora Fidel Castro pretendía, y así lo hizo efectivamente, unificar los criterios bajo su égida.

El notable fracaso de la huelga general urbana del 8 y 9 de abril fue decisivo. Los hombres de la sierra criticaron duramente la ineficacia ciudadana para coordinar la lucha que, enfatizaban, se recostaba fundamentalmente sobre los combates guerrilleros. Guevara sería, justamente, uno de los mayores críticos del proceso huelguístico fracasado y uno de los que también, desde entonces, priorizarían y ponderarían el trabajo guerrillero por sobre cualquier otro. Escribirá tiempo después:

> El 9 de abril fue un sonado fracaso que en ningún momento puso en peligro la estabilidad del régimen. No tan solo eso: después de esta fecha trágica, el gobierno pudo sacar tropas e ir poniéndolas gradualmente en oriente y llevando a la Sierra Maestra la destrucción.

Así las cosas, el 3 de mayo se reunieron los altos mandos revolucionarios, cónclave en el que el Che tuvo una participación destacada

para imponer la hegemonía de Fidel. El propio Guevara recordaría tiempo después:

> La reunión fue tensa, dado que había que juzgar la actuación de los compañeros del Llano, que hasta ese momento, en la práctica, habían conducido los asuntos del 26 de Julio. En esa reunión se tomaron decisiones en las que primó la autoridad moral de Fidel, su indiscutible prestigio y el convencimiento de la mayoría de los revolucionarios allí presentes de los errores de apreciación cometidos. La dirección del Llano había despreciado la fuerza del enemigo y aumentado subjetivamente la propia, esto sin contar los métodos usados para desencadenarla. Pero lo más importante es que se analizaban y juzgaban dos concepciones que estuvieron en pugna durante toda la etapa anterior de conducción de la guerra. La concepción guerrillera saldría de allí triunfante, consolidado el prestigio y la autoridad de Fidel y nombrado comandante en jefe de todas las fuerzas, incluidas las de la milicia –que hasta esos momentos estaban supeditadas a la dirección del Llano– y secretario general del Movimiento.

La lucha entraba en una etapa de definiciones y era claro que el gobierno intentaría una reacción última y desesperada, seguramente reuniendo al grueso de sus fuerzas para lanzarlas contra las guerrillas.

Para el caso, y apoyado en esta apreciación que resultó exacta, Fidel resolvió convocar al Che para hacerse cargo de la Escuela Militar en Minas del Frío, donde se preparaban los aspirantes guerrilleros. Al recibir la novedad, Camilo Cienfuegos le escribió:

> Che. Hermano del alma: Recibí tu nota, veo que Fidel te ha puesto al frente de la Escuela Militar, mucho me alegra, pues de ese modo podremos contar en el futuro con soldados de primera; cuando me dijeron que venías a "hacernos el regalo de tu presencia", no me agradó mucho, tú has desempeñado papel principalísimo en esta contienda; si te necesitamos en esta etapa insurreccional más te necesita Cuba cuando la guerra termine, por lo tanto bien hace el Gigante en cuidarte. Mucho me gustaría estar siempre a tu lado, fuiste por mucho tiempo mi jefe y siempre lo seguirás siendo. Gracias a ti tengo la oportunidad de ser ahora más útil, haré lo indecible por no hacerte quedar mal. Tu eterno chicharrón. Camilo.

Por entonces la vida de Guevara halló un remanso amoroso en una joven guajira serrana, Zoila Rodríguez García, aunque la relación no avanzará más allá de lo que, por otra parte, le permitían sus tareas de combatiente.

Finalmente, la tan anunciada ofensiva del gobierno contra la guerrilla se inició el 6 de mayo de 1958, posiblemente alentada por el fracaso de la huelga de abril. Pero a la vez, el gobierno y los mandos militares no podían ocultar su honda preocupación porque hasta ese momento todo un ejército preparado no podía detener las andanzas de no más de unos trescientos rebeldes.

Las fuerzas de Batista sumaban casi 10.000 soldados bien armados, y aunque ciertamente el grueso eran jóvenes conscriptos, de todos modos era una fuerza enorme que, además, estaba apoyada por decenas de vehículos blindados y aviones de combate y reconocimiento.

Las operaciones del ejército contemplaban la ocupación de un vasto territorio de la Sierra Maestra y el bombardeo con fósforo vivo de poblados presuntamente solidarios con la guerrilla, en un intento de cortarle toda posibilidad de suministro a los rebeldes.

Durante las primeras semanas de la ofensiva las fuerzas del gobierno estuvieron a punto de derrotar a las guerrillas, que sufrieron grandes pérdidas y la desorganización de sus filas, mientras que aumentaba el espíritu de derrota y las deserciones.

Por su parte Guevara organizó con los reclutas de la escuela de Minas del Frío una

nueva columna, que llevó el número "Ocho" y por nombre Ciro Redondo, en homenaje a uno de sus lugartenientes caído en combate el año anterior.

Sin embargo, las tropas gubernamentales fueron incapaces de acorralar a los guerrilleros que se escurrían permanentemente y que para julio comenzaban a asumir la ofensiva: el día 20 los rebeldes obtienen su primera gran victoria en Jigüe.

Ese mismo día, la mayor parte de las fuerzas opositoras a la dictadura firmaron el llamado Pacto de Caracas, reconociendo a Fidel Castro como comandante en jefe.

Para el 28 de julio, la ofensiva de los rebeldes dio un nuevo paso adelante, cuando la columna al mando del Che sitió a las tropas del gobierno en el pequeño poblado de Las Vegas, poniéndolas en fuga y capturando todos sus equipos y armamentos.

El 7 de agosto la jefatura del ejército de Batista reconocía el fracaso de su ofensiva, iniciando la retirada en masa de la Sierra Maestra. Como señalara el propio Guevara:

> El ejercito batistiano salió con su espina dorsal rota.

Fue algo así como una señal que decidió la arremetida final rebelde, que diversificó su lucha por todo el país.

El proyecto de Fidel era partir virtualmente en dos a la isla, manteniendo bajo su control una de las partes, mientras iniciaba el acoso final hacia la capital. Para eso, el Che Guevara y Camilo Cienfuegos debían marchar al norte para dividir la isla y preparar el ataque a la estratégica ciudad de Santa Clara, llave del camino a La Habana, mientras que Fidel y Raúl Castro permanecerían en "el oriente" para controlar la región y atacar finalmente la ciudad de Santiago de Cuba.

LA BATALLA DECISIVA: SANTA CLARA

El 31 de agosto de 1958 las columnas del Che Guevara y Camilo Cienfuegos partieron a pie hacia "el occidente" cubano. Tardaron seis semanas en llegar a la zona montañosa del Escambray, en la antigua provincia de Las Villas, en el centro de la isla, luego de atravesar unos 600 kilómetros de zonas pantanosas, acosados por los aviones y pelotones del gobierno.

Guevara instalaría su campamento en una meseta inaccesible ubicada a 630 metros de altura, donde creó una escuela militar siguiendo

el modelo utilizado en Sierra Maestra para entrenar nuevos voluntarios, así como una precaria central hidroeléctrica, un hospital, diversos talleres y fábricas y un periódico, *El Miliciano*.

En la zona actuaban numerosas fuerzas guerrilleras, como el Segundo Frente Nacional del Escambray, dirigido por Eloy Gutiérrez Menoyo; el Directorio Revolucionario, dirigido por Faure Chomón y Rolando Cubela, y el Partido Socialista Popular, denominación que por entonces tenía el Partido Comunista cubano. También actuaban las fuerzas guerrilleras y políticas locales del Movimiento 26 de Julio. Aunque mantenían rencillas entre sí y la unificación plena nunca fue posible, las diversas tendencias se las ingeniaban para tener ocupado al ejército batistiano, por lo que la presencia de la columna del Che supuso un elemento decisivo para volcar definitivamente la correlación de fuerzas en favor del bando revolucionario.

Para ese tiempo, el Che también conocería a Aleida March Torres, una activa militante del Movimiento 26 de Julio que muy pronto se convertiría en su segunda esposa y con quien tendría cuatro hijos.

Aleida había nacido el 18 de febrero de 1936; la menor de cinco hermanos, se había graduado en la Escuela Normal de Santa Clara,

Che con el brazo izquierdo fracturado durante la campaña militar.

y tempranamente se había adherido al Movimiento 26 de Julio, participando incluso en la fracasada huelga de abril de 1958. Luego trabajó en el rescate, protección y traslado al macizo montañoso de los comandos participantes en la huelga, bajo el mando de Víctor Bordón, en Quemado de Güines, Santo Domingo y otras zonas. No obstante, Aleida no simpatizaba inicialmente con las propuestas del comunismo cubano; antes bien se mostraba reacia a tal tendencia.

Mientras tanto, Batista intentó hallar en la política lo que no podía en el campo militar, y concediendo elecciones presidenciales trató de legitimar su sucesión. Era evidente, para entonces, que el gobierno se hallaba en franca desbandada y solo le preocupaba una retirada ordenada y controlada por él mismo.

No obstante, las elecciones del 3 de noviembre resultaron un fiasco soberano, destacándose solo por el ausentismo generalizado, gracias a la oportuna propaganda de los rebeldes en toda la isla. Lo que debía ser una salida exitosa, no fue más que una espantosa bancarrota política. De hecho, el candidato que resultó electo, Andrés Rivero Agüero, nunca llegó a asumir.

En Las Villas el Che Guevara terminó de dar forma a la Columna Ocho ubicando en los

puestos clave a los hombres en los que más confiaba, e incluso conformó una unidad especial, el llamado Pelotón Suicida, que, al mando de "El Vaquerito", realizaba las misiones más difíciles.

A fines de noviembre las tropas del gobierno atacaron la posición del Che Guevara y Camilo Cienfuegos. Los combates duraron una semana, al final de la cual el ejército de Batista se retiró desordenadamente y con grandes pérdidas de hombres y equipos. Guevara y Cienfuegos contraatacaron entonces, siguiendo una estrategia de aislamiento de las guarniciones del gobierno entre sí, dinamitando los caminos y puentes ferroviarios. En los días siguientes los regimientos fueron capitulando uno a uno.

El propio Guevara escribirá recordando aquella experiencia:

> Liquidados los regimientos que asaltaron la Sierra Maestra; vuelto el frente a su nivel natural y aumentadas nuestras tropas en efectivo y en moral, se decidió iniciar la marcha sobre Las Villas, provincia céntrica. En la orden militar dictada se me indicaba como principal labor estratégica, la de cortar sistemáticamente las comunicaciones entre ambos extremos de la Isla; se me ordenaba, además, establecer relaciones con todos los grupos políticos que hubiera en los macizos montañosos de esa región, y me conferían amplias facultades para gobernar militarmente la zona a mi cargo. Con esas instrucciones y pensando llegar en cuatro días,

El Che haciendo un discurso en Santa Clara.

íbamos a iniciar la marcha, en camiones, el 30 de agosto de 1958, cuando un accidente fortuito interrumpió nuestros planes: esa noche llegaba una camioneta portando uniformes y la gasolina necesaria para los vehículos que ya estaban preparados cuando también llegó por vía aérea un cargamento de armas a un aeropuerto cercano al camino. El avión fue localizado en el momento de aterrizar, a pesar de ser de noche, y el aeropuerto fue sistemáticamente bombardeado desde las veinte hasta las cinco de la mañana, hora en que quemamos el avión para evitar que cayera en poder del enemigo o siguiera el bombardeo diurno, con peores resultados. Las tropas enemigas avanzaron sobre el aeropuerto; interceptaron la camioneta con la gasolina,

El Che ordenó bloquear las calles de Santa Clara para dificultar el avance de las tropas de Batista.

dejándonos a pie. Así fue como iniciamos la marcha el 31 de agosto, sin camiones ni caballos, esperando encontrarlos luego de cruzar la carretera de Manzanillo a Bayamo. Efectivamente, cruzándola encontramos los camiones, pero también –el día primero de septiembre– un feroz ciclón que inutilizó todas las vías de comunicación, salvo la carretera central, única pavimentada en esta región de Cuba, obligándonos a desechar el transporte en vehículos. Había que utilizar, desde ese momento, el caballo, o ir a pie. Andábamos cargados con bastante parque, una bazuca con cuarenta proyectiles y todo lo necesario para una larga jornada y el establecimiento rápido de un campamento. Se fueron sucediendo días que ya se tornaban difíciles a pesar de estar en el territorio amigo de Oriente:

cruzando ríos desbordados, canales y arroyuelos convertidos en ríos, luchando fatigosamente para impedir que se nos mojara el parque, las armas, los obuses; buscando caballos y dejando los caballos cansados detrás; huyendo a las zonas pobladas a medida que nos alejábamos de la provincia oriental. Caminábamos por difíciles terrenos anegados, sufriendo el ataque de plagas de mosquitos que hacían insoportables las horas de descanso; comiendo poco y mal, bebiendo agua de ríos pantanosos o simplemente de pantanos. Nuestras jornadas empezaron a dilatarse y a hacerse verdaderamente horribles. Ya a la semana de haber salido del campamento, cruzando el río Jobabo, que limita las provincias de Camagüey y Oriente, las fuerzas estaban bastante debilitadas. Este río, como todos los anteriores y como los que pasaríamos después, estaba crecido. También se hacía sentir la falta de calzado en nuestra tropa, muchos de cuyos hombres iban descalzos y a pie por los fangales del sur de Camagüey.

La noche del 9 de septiembre, entrando en el lugar conocido por La Federal, nuestra vanguardia cayó en una emboscada enemiga, muriendo dos valiosos compañeros; pero el resultado más lamentable fue el ser localizados por las fuerzas enemigas, que de allí en adelante no nos dieron tregua. Tras un corto combate se redujo a la pequeña guarnición que allí había, llevándonos cuatro prisioneros. Ahora debíamos marchar con mucho cuidado, debido a que la aviación conocía nuestra ruta aproximada. Así llegamos, uno o dos días después, a un lugar conocido por Laguna Grande, junto

a la fuerza de Camilo, mucho mejor montada que la nuestra. Esta zona es digna de recuerdo por la cantidad extraordinaria de mosquitos que había, imposibilitándonos en absoluto descansar sin mosquitero, y no todos lo teníamos. Son días de fatigantes marchas por extensiones desoladas, en las que solo hay agua y fango, tenemos hambre, tenemos sed y apenas si se puede avanzar porque las piernas pesan como plomo y las armas pesan descomunalmente. Seguimos avanzando con mejores caballos que Camilo nos deja al tomar camiones, pero tenemos que abandonarlos en las inmediaciones del central Macareño. Los prácticos que debían enviarnos no llegaron y nos lanzamos sin más, a la aventura. Nuestra vanguardia choca con una posta enemiga en el lugar llamado Cuatro Compañeros, y empieza la agotadora batalla. Era al amanecer, y logramos reunir, con mucho trabajo, una gran parte de la tropa, en el mayor cayo de monte que había en la zona, pero el ejército avanzaba por los lados y tuvimos que pelear duramente para hacer factible el paso de algunos rezagados nuestros por una línea férrea, rumbo al monte. La aviación nos localizó entonces, iniciando un bombardeo los B-26, los C-47, los grandes C-3 de observación y las avionetas, sobre un área no mayor de doscientos metros de flanco. Después de todo, nos retiramos dejando un muerto por una bomba y llevando varios heridos, entre ellos al capitán Silva, que hizo todo el resto de la invasión con un hombro fracturado. El panorama, al día siguiente, era menos desolador, pues aparecieron varios de los rezagados y logramos

reunir a toda la tropa, menos diez hombres que habrían de incorporarse a la columna de Camilo y con este llegarían hasta el frente norte de la provincia de Las Villas, en Yaguajay.

La columna de Cienfuegos se dirigió a tomar Yaguajay, donde enfrentó a las tropas enemigas desde el 21 hasta el 31 de diciembre, mientras el Che tomaba Remedios y el puerto de Caibarién, el 26 de diciembre, y el cuartel de Camajuaní, donde las tropas del gobierno huyeron sin combatir. El camino hacia Santa Clara, por fin, quedaba despejado. Ahora, para los revolucionarios, solo quedaba terminar con el último bastión del gobierno.

Batista fortificó Santa Clara enviando 2.000 soldados y un tren blindado, a las órdenes del oficial más capacitado a su disposición, el coronel Joaquín Casillas, quien en definitiva reunió bajo su mando alrededor de 3.500 soldados para detener a no más de 350 guerrilleros.

El 28 de diciembre las acciones se precipitaron y los combates se extendieron a toda la ciudad durante los siguientes tres días. Pero todo estaba definido ya el 30 de diciembre, cuando el tren blindado fue tomado por las fuerzas rebeldes.

Guevara escribiría años más tarde sobre aquella batalla:

En el momento del ataque, nuestras fuerzas habían aumentado considerablemente su fusilería, en la toma de distintos puntos y en algunas armas pesadas que carecían de municiones. Teníamos una bazuca sin proyectiles y debíamos luchar contra una decena de tanques, pero también sabíamos que, para hacerlo con efectividad, necesitábamos llegar a los barrios poblados de la ciudad, donde el tanque disminuye en mucho su eficacia. Mientras las tropas del Directorio Revolucionario se encargaban de tomar el cuartel numero 31 de la Guardia Rural, nosotros nos dedicábamos a sitiar casi todos los puestos fuertes de Santa Clara; aunque, fundamentalmente, establecíamos nuestra lucha contra los defensores del tren blindado situado a la entrada del camino de Camajuaní, posiciones defendidas con tenacidad por el ejército, con un equipo excelente para nuestras posibilidades. El 29 de diciembre iniciamos la lucha. La Universidad había servido, en un primer momento, de base de operaciones. Después establecimos comandancia más cerca del centro de la ciudad. Nuestros hombres se batían contra tropas apoyadas por unidades blindadas y las ponían en fuga, pero muchos de ellos pagaron con la vida su arrojo, y los muertos y heridos empezaron a llenar los improvisados cementerios y hospitales. Recuerdo un episodio que era demostrativo del espíritu de nuestra fuerza en esos días finales. Yo había amonestado a un soldado, por estar durmiendo en pleno combate, y me contestó que lo habían desarmado por habérsele escapado un tiro. Le respondí con mi sequedad habitual: "Gánate otro fusil

Antigua foto que muestra el tren descarrilado.

yendo desarmado a la primera línea... si eres capaz de hacerlo". En Santa Clara, alentando a los heridos en el Hospital de Sangre, un moribundo me tocó la mano y dijo: "¿Recuerda, comandante? Me mandó a buscar el arma en Remedios... y me la gané aquí". Era el combatiente del tiro escapado, quien minutos después moría, y me lució contento de haber demostrado su valor. Así es nuestro Ejército Rebelde. Las lomas del Cápiro seguían firmes y allí estuvimos luchando durante todo el día 30, tomando gradualmente al mismo tiempo distintos puntos de la ciudad. Ya en ese momento se habían cortado las comunicaciones entre el centro de Santa Clara y el tren blindado. Sus ocupantes, viéndose rodeados en las lomas del Cápiro, trataron de

Fulgencio Batista, el déspota que gobernaba en Cuba cuando comenzó la lucha guerrillera. Como en otras dictaduras de Latinoamérica, el tirano funcionaba en la práctica como un gerente que cumplía las órdenes emitidas por EE.UU.

fugarse por la vía férrea y con todo su magnífico cargamento cayeron en el ramal destruido previamente por nosotros, descarrilándose la locomotora y algunos vagones. Se estableció entonces una lucha muy interesante en donde los hombres eran sacados con cócteles Molotov del tren blindado, magníficamente protegidos aunque dispuestos solo a luchar a distancia, desde cómodas posiciones y contra un enemigo prácticamente inerme, al estilo de los colonizadores con los indios del Oeste norteamericano. Acosados por hombres que desde puntos cercanos y vagones inmediatos lanzaban botellas de gasolina encendida, el tren se convertía –gracias a las chapas del blindaje– en un verdadero horno para los soldados. En pocas horas se rendía la dotación completa, con sus 22 vagones, sus

> cañones antiaéreos, sus ametralladoras del mismo tipo, sus fabulosas cantidades de municiones (fabulosas para lo exiguo de nuestras dotaciones, claro está).

La toma del tren blindado fue el hecho desencadenante de la caída de Batista. Conocida la noticia, el dictador tomó la decisión de huir de Cuba, lo que hizo pocas horas después, a las tres de la mañana del 1 de enero de 1959, con sus familiares y colaboradores más cercanos.

Siguiendo órdenes de Fidel Castro, las columnas del Che Guevara y Camilo Cienfuegos se dirigieron entonces a La Habana a ocupar los cuarteles de Columbia y La Cabaña. Para el 3 de enero, todos los cuarteles militares estaban bajo mando rebelde. La revolución había triunfado.

6

En el gobierno revolucionario

Una vez que las fuerzas rebeldes tomaron el poder, el conjunto de la oposición se dispuso a formar un nuevo gobierno. Se designó entonces como presidente a Manuel Urrutia Lleó y como primer ministro a José Miró Cardona. El poder militar, circunscrito por el momento a las propias formaciones rebeldes y los jirones del ejército de la dictadura, fue concentrado en su conjunto por Fidel Castro, sin duda el líder más carismático de la revolución triunfante.

En términos generales, el nuevo gobierno se caracterizaba por su declarada impronta democrática, aunque ideológicamente se situaba

en las riberas de la moderación e, inclusive, en muchos de sus representantes en el más desembozado anticomunismo.

Por supuesto, nada de esto conformaba a los guerrilleros de la sierra, pero la lucha por el control y la hegemonía política recién comenzaba una nueva etapa. Por lo pronto, los comandantes rebeldes fueron situados con mando en sectores estratégicos. Guevara, por el momento, fue designado jefe de la Fortaleza de San Carlos de La Cabaña, una de las principales de la isla, aunque el devenir del gobierno lo convocaría rápidamente para otras funciones.

Mientras tanto, buena parte de las responsabilidades y tareas inmediatas descansaban en las fuerzas rebeldes triunfantes, cuya prédica entre la población era sobradamente festejada.

Entre estas tareas, una de las consideradas prioritarias era el control absoluto sobre los posibles focos contrarrevolucionarios y, por supuesto, el desarme de aquellos grupos que pudieran intentar alzarse en armas contra la revolución triunfante. Parte de este control y sometimiento de la contrarrevolución incluía el juzgamiento de los criminales de guerra, tarea que ocupó a los líderes de la sierra durante los primeros meses de la revolución.

De hecho, entre enero y abril de aquel año, bautizado como "Año de la Liberación", alrede-

El ingreso triunfal de la Revolución. El nuevo sistema se apoyaría en la idea de que el pueblo es dueño de todo.

dor de unos mil militares y policías fueron denunciados por violaciones a los derechos humanos y más de 500 fueron condenados a muerte.

La pena de muerte contra los contrarrevolucionarios e incluso la prisión de algunos jefes contrarios al nuevo gobierno no tardó en convertirse en un elemento de propaganda anticastrista. Fue entonces cuando la voz de Guevara se escuchó como una de las más enfáticas en defender aquellos procesos y la eliminación de los sentenciados, pero lejos de mantener un doble discurso por temor a reacciones políticas adversas, defendió públicamente su postura en los más diversos foros, incluso ante las Naciones Unidas.

Precisamente allí, el 11 de diciembre de 1964, señalaba sin eufemismos:

> Nosotros tenemos que decir aquí lo que es una verdad conocida, que la hemos expresado siempre ante el mundo: fusilamientos, sí, hemos fusilado; fusilamos y seguiremos fusilando mientras sea necesario. Nuestra lucha es una lucha a muerte. Nosotros sabemos cuál sería el resultado de una batalla perdida y también tienen que saber los gusanos cuál es el resultado de la batalla perdida hoy en Cuba.

Esta posición, por supuesto, no era nueva en el Che. Por el contrario, venía siendo abonada desde los tiempos mismos de la experiencia guatemalteca, cuando el derrocamiento de Arbenz, en el que escribía cartas proclamando la necesidad del uso de la violencia revolucionaria para aplastar cualquier intento de la reacción.

Tiempo después, ya en la campaña guerrillera en la sierra, el Che reivindicara la implacabilidad de una justicia revolucionaría contra "chivatos", delincuentes y traidores, y no le temblaría el pulso para ser él mismo quien ejecutase a los sentenciados a la mayor pena. De hecho, fue el propio Guevara quien estableció un sistema judicial con tribunales de primera instancia y un tribunal de apelación bajo su presidencia, que desarrollaron su actuación en audiencias públicas, con fiscales acusadores, abogados defensores y testigos.

Los servicios prestados por el Che al proceso revolucionario devinieron en una corriente de simpatía hacia su figura realmente masiva. "El argentino", como también solían decirle, acumulaba los mayores registros de admiración, y haber sido parte de alguna de sus columnas se convirtió en una inconfundible seña de heroísmo.

No resulta extraño que, en virtud de lo que significaba el Che para los dirigentes cubanos y

para las masas que vitoreaban su nombre, el 7 de febrero el gobierno sancionara una nueva Constitución que incluía, entre otros artículos, uno especialmente redactado para Guevara, ya que otorgaba la ciudadanía a cualquier extranjero que hubiera combatido a Batista durante dos años o más y ejercido el cargo de comandante durante un año. Desde entonces, el Che bien podía considerarse legalmente ciudadano cubano; para evitar cualquier equívoco, el propio presidente Urrutia lo declaró formalmente cubano de nacimiento.

Mientras tanto, en pleno ajetreo posrevolucionario, Guevara se reencontró con su primera esposa, Hilda Gadea, y su hija Hildita, quienes el 21 de enero se instalaron en La Habana.

La relación amorosa, por supuesto, ya había sido superada, y el 22 de mayo de ese año el Che se divorció legalmente para poder casarse, diez días más tarde, con su nueva pareja: Aleida March.

En los meses posteriores a la toma del poder los sectores más moderados del gobierno fueron siendo desplazados por los sectores más radicales, entre los que se encontraba el Che como una de sus figuras más destacadas. Antiimperialistas de izquierda, tenían la convicción de que los Estados Unidos no aprobarían las reformas económicas y sociales que proponía la revolu-

ción, y que en caso de no poder neutralizarlas a través de los funcionarios conservadores en el gobierno, impulsaría medidas cada vez más agresivas llegando incluso a la invasión en caso de ser necesario.

Convencido de esta postura, Guevara era partidario no solo de depurar el ejército y el gobierno de todo elemento conservador, sino de radicalizar la revolución para instalar un sistema socialista, prepararse para una confrontación abierta con el imperialismo norteamericano, buscar el apoyo de la Unión Soviética y abrir nuevos focos guerrilleros en el continente americano, como la manera más sólida de defender la propia Revolución Cubana. En ese sentido, su influencia en el camino que finalmente siguió el proceso en la isla fue notable.

No sería equivocado subrayar que el Che puso en su mira el desarrollo global y a largo plazo de la revolución que estaban realizando, y sin duda fue el dirigente más preocupado en profundizar el proceso que en detenerse en su primer gran éxito.

También por este modo de pensar y vivir la revolución, Guevara sería su más acérrimo crítico en cada uno de los aspectos en que le pareció que se estaba transitando por el camino incorrecto.

Antes de desempeñar un cargo formal en el nuevo gobierno, Guevara participó activamente en la elaboración de la ley de reforma agraria y en la creación del Instituto Nacional de Reforma Agraria (INRA), impulsando la versión más radical de la misma, prohibiendo por completo el sistema de latifundios y dejando sin efecto el requisito constitucional de la indemnización previa. El Che pensaba que existía un vínculo inseparable entre la reforma agraria y la guerrilla, y solía decir a quien lo escuchara:

> El guerrillero es, fundamentalmente y antes que nada, un revolucionario agrario. Interpreta los deseos de la gran masa campesina de ser dueña de la tierra, dueña de los medios de producción, de sus animales, de todo aquello por lo que ha luchado durante años, de lo que constituye su vida y constituirá también su cementerio. [...] Este Movimiento no inventó la Reforma Agraria. La llevará a cabo. La llevará a cabo íntegramente hasta que no quede campesino sin tierra, ni tierra sin trabajar.

Por fin, el 7 de mayo de 1959 se aprobó la ley de reforma agraria y de creación del INRA, dedicándose el Che casi de inmediato, y con una intensidad solo característica en él, a viajar en representación del gobierno, estableciendo acuerdos diplomáticos, políticos y económicos de gran importancia para la naciente revolución.

Aunque no tuviera el estatus de un representante diplomático, ningún otro dirigente cubano fue tan buen comunicador de las aspiraciones, logros y necesidades de la revolución que el propio Guevara. Por supuesto, fueron sus destinos privilegiados los llamados países del Tercer Mundo, como así también los que se hallaban bajo la tutela directa de los dos mayores colosos *rojos*: la por entonces Unión Soviética y China.

Entre sus numerosos destinos visitó países y líderes que estaban impulsando experiencias de cambios sociales profundos, entre ellos Egipto, donde se reunió con el general Gamal Abdel Nasser; Indonesia, donde se entrevistó con Sukarno; India, donde conoció a Jawaharlal Nehru, y Yugoslavia, siendo recibido por el histórico dirigente Josip Tito. Además, viajó a la Unión Soviética, aunando relaciones comerciales y políticas con la gran potencia del Este, algo que también realizará con Pekín.

Las grandes transformaciones que el país vivía y en las que él era a las claras uno de sus más enfáticos promotores, despertaron algunas de sus reflexiones más íntimas que, como tantas otras veces en el pasado, compartió epistolarmente con Celia, su madre:

> Algo que realmente se ha desarrollado en mí es la sensación de lo masivo en contraposición con lo personal; soy el mismo solitario que era, buscando mi camino sin ayuda personal, pero ahora poseo el sentido de mi deber histórico. No tengo hogar ni mujer ni hijos ni padres ni hermanos ni hermanas, mis amigos son mis amigos en tanto piensen políticamente como yo y sin embargo estoy contento, siento algo en la vida, no solo una poderosa fuerza interior, que siempre sentí, sino también el poder de inyectarla a los demás y en sentido absolutamente fatalista de mi misión que me despoja del miedo.

Mientras Guevara realizaba sus viajes políticos y la Revolución se consolidaba en su camino antiimperialista, el sabotaje ideado por los sectores contrarrevolucionarios contra el nuevo gobierno se profundizó. Como lo había profetizado el propio Guevara, las tentativas de invadir la isla para desalojar a los castristas comenzaron a pergeñarse en varias embajadas y salones reservados.

Desde 1959, el dictador dominicano Trujillo apoyaba un ejército guerrillero denominado "Legión Anticomunista del Caribe", y en los Estados Unidos la CIA comenzó a preparar sabotajes e impulsar la organización de grupos guerrilleros anticastristas sobre la base de ex funcionarios del antiguo régimen, como "La

Rosa Blanca", y con la creciente cantidad de exiliados cubanos opuestos a las medidas cada vez más radicales y pro comunistas de la Revolución Cubana. Pero mientras en las sombras la contrarrevolución se organizaba, el proceso en la isla continuaba con su progresivo giro a la izquierda.

En septiembre de 1959, el Che Guevara fue designado para organizar el Departamento de Industrialización del INRA, que se convertiría al año siguiente en Ministerio de Industria. Poco después, el 26 de noviembre, ante la renuncia y huida de la mayoría de los especialistas, fue nombrado presidente del Banco Nacional. Curiosamente, firmó los billetes emitidos durante su gestión únicamente con su apodo, Che.

Cuenta el anecdotario revolucionario que la designación de Guevara para cubrir los más altos puestos en la dirección económica tuvo, en verdad, un inicio por demás curioso: en una de las tantas maratónicas reuniones de la dirección revolucionaria, se preguntó a viva voz: "¿Quién es economista?". El Che, de inmediato, se hizo oír, tras lo cual sería designado para ocuparse del Banco Nacional. Tiempo después diría que, en verdad, se había ofrecido por haber entendido mal: creyó que preguntaban "¿Quién es comunista?", y no dudó en levantar la mano.

Su participación en el diseño económico tuvo un nuevo hito el 20 de febrero de 1960, cuando bajo su iniciativa se creó la Junta Central de Planificación (JUCEPLAN), que establecía la planificación centralizada en todo el país.

Desde sus cargos económicos el Che Guevara impulsó la nacionalización de empresas locales y extranjeras y sectores claves de la economía, la planificación centralizada y el trabajo voluntario. Guevara buscó también desarrollar la industria pesada mediante la actividad siderúrgica, con el fin de superar la especialización económica y la dependencia del monocultivo del azúcar. Contó con el apoyo de un grupo de jóvenes que se formaron como especialistas con él, desde que la Columna Ocho se encontraba en Escambray, entre los que se destacó Orlando Borrego, su viceministro, quien habría de ocupar altos cargos económicos en el futuro.

EL HOMBRE NUEVO

Pero sus esforzados trabajos en pos de la revolución trascendieron la tarea cotidiana, impulsando verdaderas ideas de un proceso que solo tenía sentido para él si culminaba con la formación de un nuevo sujeto social, educado

bajo las pautas de la solidaridad, el internacionalismo y un humanismo socialista.

La propuesta, condensada en la fórmula de Hombre Nuevo, fue presentada el 28 de julio de 1960, en el marco del Primer Congreso de Juventudes Latinoamericanas, realizado en La Habana. Allí subrayó Guevara que el "nuevo hombre socialista" se desarrollaría a la par del socialismo, y en el que el sentimiento de solidaridad y compromiso con la sociedad se impondría al interés y egoísmo personal.

Por supuesto, la reivindicación del Hombre Nuevo no era ajena a la tradición revolucionaria. Es más, estaba fundida en el corazón mismo de los primeros utopistas románticos y fue levantada desde entonces como una ineludible bandera por los revolucionarios de todas las épocas y continentes. Marx había hecho también propia la reivindicación del Hombre Huevo y admiraba sin ocultamiento a aquellos obreros comunistas para quienes la fraternidad no era una frase vacía o mera retórica. Como señala Michael Lowy:

> El pensamiento de Guevara se inscribe en esta estirpe intelectual. Para él también, la tarea suprema y última de la revolución era crear un Hombre Nuevo, un hombre comunista, negación dialéctica del individuo de la sociedad capitalista, transformado en hombre-mercancía enajenado o

> capaz de convertirse, gracias a la maquinaria imperialista, en un animal carnicero, en un "hombre lobo" en una "sociedad de lobos".

¿Cómo sería ese Hombre Nuevo al que el Che hace referencia? ¿Cuáles debían ser sus principales características?

En primer término, el Hombre Nuevo, el hombre comunista, en tanto negación del hombre alienado del capitalismo, es, en palabras de Lowy:

> ...un ser interiormente más rico y más responsable, vinculado a los otros hombres por una relación de solidaridad real, de fraternidad universal concreta: un hombre que se reconoce en su obra y que, una vez rotas las cadenas de la enajenación, "alcanza su plena condición humana".

Para el Che, la conversión del viejo hombre de la sociedad capitalista en el nuevo hombre del socialismo responde a una estrategia de educación social, política, ideológica y cultural en la que el conjunto de la sociedad se convierte en una gigantesca y única escuela.

Pero en el proceso resulta insuficiente el aprendizaje meramente pasivo, recibido como información nueva, sino que el pueblo mismo

El concepto de Hombre Nuevo para lograr el éxito del socialismo fue una obsesión de Guevara. En la imagen, el Che en una portada que le dedica la revista *Time*.

debe involucrarse activamente y, de alguna manera, autoeducarse en los nuevos valores.

En este contexto, se hace entonces necesario el trabajo voluntario, para él una expresión fundamental de ese Hombre Nuevo. No va a resultar extraño que, convencido de esta tarea, sería él mismo quien personalmente se dedicaría todos los sábados al trabajo voluntario, ya sea en las líneas de producción de las fábricas, en la zafra o como obrero en las obras de construcción.

Promovía de esa manera una actitud entre los demás funcionarios que no siempre fue recibida de buena gana. Por el contrario, en él fue una constante la estricta austeridad y la falta de privilegios personales y familiares que insistió en extremar.

Por ejemplo, cuando fue designado presidente del Banco Nacional, renunció a los 2.000 pesos que le correspondían por el cargo, manteniendo solo su salario de comandante, que era de 250 pesos; y cuando sus padres lo visitaron en Cuba en 1959, él les puso un automóvil a su disposición pero les comunicó que debían pagar la gasolina. No llevaba a su esposa a los viajes internacionales y prohibía al personal militar bajo sus órdenes que concurrieran al cabaret, a los prostíbulos y a cualquier fiesta que no obedeciera estrictamente a las necesidades de la misión.

Dentro de este mismo sistema auténticamente ético y profundamente solidario, el Che desarrollará tiempo después una de las principales ideas que, controversialmente, atravesará de plano el proceso económico social de Cuba. Se trata de la propuesta guevariana de estímulos morales en contraposición a los estímulos materiales en la construcción del socialismo.

Para el Che, la vigencia en Cuba de los estímulos materiales, siempre individuales y privados, constituye un resabio de la antigua sociedad capitalista, que condena al trabajador al aislamiento social y a la enajenación.

Por el contrario, el Che se rebelará contra esta tendencia y manifestará sin ambigüedades:

> Persiguiendo la quimera de realizar el socialismo con la ayuda de las armas melladas que nos legara el capitalismo (la mercancía tomada como célula económica, la rentabilidad, el interés material individual como palanca, etc.), se puede llegar a un callejón sin salida... Para construir el comunismo, simultáneamente con la base material hay que hacer al Hombre Nuevo.

Por supuesto, en una primera etapa que el Che señalara como de transición, los estímulos materiales aún tienen una función y una prédica que los ubica todavía como una "necesidad objetiva". Pero a diferencia de quedarse en ello,

a cubierto de la situación transicional, Guevara insistirá en que los estímulos materiales constituyen en su naturaleza una excrecencia del capitalismo, y como tal debe intentarse paulatinamente su eliminación completa.

Para ello, sugería trabajar en tres direcciones. Primero, considerando los estímulos materiales supervivientes como estímulos secundarios, generalizando el sentido y necesidad de su abolición; en segundo término, el Che señalará una y otra vez que la educación debe cumplir en este proceso un rol fundamental, explicando machacadamente el carácter antisocial del individualismo capitalista; finalmente, aceptando que el único estímulo material válido para los revolucionarios es aquel imbuido de carácter social, es decir, mediante la construcción de maternidades, viviendas obreras y estimulando la capacidad cultural de los trabajadores. Al respecto señalará Guevara:

> La acción del Partido de vanguardias es la de levantar al máximo la bandera opuesta, la del interés moral, la del estímulo moral, la de los hombres que luchan y se sacrifican y no esperan otra cosa que el reconocimiento de sus compañeros. [...] El estimulo material es el rezago del pasado, es aquello con lo que hay que contar, pero a lo que hay que ir quitándole preponderancia en la conciencia de la gente a medida que avance el proceso. Uno está en decidido proceso de

ascenso; el otro debe estar en decidido proceso de extinción. El estímulo material no participará en la sociedad nueva que se crea, se extinguirá en el camino y hay que preparar las condiciones para que ese tipo de movilización que hoy es efectiva vaya perdiendo cada vez más su importancia y la vaya ocupando el estímulo moral, el sentido del deber, la nueva conciencia revolucionaria.

El imperio contraataca

El 7 de noviembre de ese año 1960 el Che Guevara reemprendió nuevos viajes diplomáticos, extendiéndose los mismos durante dos meses. Esta vez, el objetivo central era aunar fuerzas con los países de la órbita socialista: Checoslovaquia, China, Corea, Alemania Democrática y, una vez más, la Unión Soviética, donde fue invitado a participar –junto a los máximos dirigentes– del desfile de celebración del aniversario de la Revolución Rusa.

El viaje fue muy exitoso y tanto la Unión Soviética como China se comprometieron a comprar la mayor parte de la zafra cubana.

En Alemania conocería a Tamara Bunke, una argentina-alemana que poco después se trasladaría a Cuba y que años más tarde integraría la

El Che en reunión oficial estrecha la mano de Mao.

guerrilla del Che en Bolivia, bajo el seudónimo de guerra de "Tania".

Pero por sobre todas las cosas el viaje tuvo como resultado principal consolidar la alianza entre Cuba y la Unión Soviética.

Un informe de inteligencia del Departamento de Estado de los Estados Unidos evalúa el resultado del viaje de Guevara del siguiente modo:

> Cuando finalizó la visita, Cuba tenía acuerdos comerciales financieros, además de vínculos culturales, con todos los países del bloque; relaciones diplomáticas con

todos menos Alemania Oriental y acuerdos de asistencia científica y técnica con todos menos Albania.

El enfrentamiento con los Estados Unidos maduraba aceleradamente.

El 3 de enero de 1961, en una de sus últimas medidas de gobierno, el presidente Eisenhower cortó las relaciones diplomáticas con Cuba, una medida excepcional que seguiría su sucesor, J.F. Kennedy.

La creciente tensión entre el gobierno cubano y el de los Estados Unidos llegó en abril a su pico más extremo. Desde hacía un tiempo, la CIA venía reclutando voluntarios entre los exiliados cubanos establecidos en EEUU para ser entrenados en campamentos distribuidos principalmente en Guatemala, aunque también los había en Puerto Rico y Nicaragua. Bien aprovisionados y contando con numerosos y experimentados entrenadores, alrededor de 1500 hombres formaron la llamada "Brigada 2506", que sumaba entre sus miembros artilleros, paracaidistas y pilotos de aviones.

Aunque no oficialmente, el gobierno de los Estados Unidos contribuyó para llevar adelante la operación de asalto con una flotilla de barcos y algunos aviones, entre los que se destacaron ocho C-46, de transporte; seis C-54, que cumplían la misma función y16 bombarderos B-

26. Además, los contrarrevolucionarios contaban con cinco tanques M-41 y numerosos *jeeps*, cañones, morteros y camiones. La flotilla naval, por su parte, la componían 15 naves y varias lanchas para desembarco.

La estrategia de los invasores era, en alguna medida, similar a la que años atrás tuvieron los rebeldes que partieron de México para destituir a Batista, es decir, desembarcar en el sur de la isla. Pero a diferencia de los iniciales planes de Castro y sus hombres, los invasores contra la revolución contaban con medios que aquellos jamás tuvieron.

De hecho, los contrarrevolucionarios planeaban que, a la par de su desembarco, la aviación que los protegía bombardearía los aeródromos cubanos y destruiría en tierra su aviación.

El punto de desembarco sería la llamada Bahía Cochinos, una zona rodeada de pantanos y ciénagas que haría muy dificultoso la defensa por tierra del ejército cubano. El plan incluía que, tras un rápido éxito merced al poder de fuego concentrado y a la sorpresa de la operación, un Gobierno Provisional que aguardaba en Miami se trasladaría a Cuba para reclamar formalmente la ayuda militar de los Estados Unidos.

Por otra parte, los dirigentes de la "contra" aguardaban que tras el inicio de las operaciones

y con la actuación decidida de los Estados Unidos, buena parte de los miembros del ejército revolucionario desertaría, una evaluación que de inmediato se reveló como absolutamente inexacta.

Por último, los invasores tenían la esperanza de avanzar rápidamente, de manera de confluir con los grupos que resistían a la revolución y que se hallaban vagando por el Escambray.

Paradojas de la historia, los que ahora luchaban contra el gobierno revolucionario implementaban las mismas estrategias que aquellos para hacerse del poder. Aunque la historia no volvería a repetirse.

Pero no nos adelantemos.

Con sus planes perfectamente diseñados, los anticastristas partieron desde Puerto Cabeza en la flota antedicha. Contaban con un apoyo político manifiesto, el de Kennedy, que tuvo completo conocimiento de todo lo que acontecía.

Para el 15 de abril, las operaciones se desarrollaron con toda virulencia, especialmente cuando ocho aviones B-26 bombardearan los aeropuertos militares de Ciudad Libertad, San Antonio de los Baños y Antonio Maceo, de Santiago de Cuba, con el inocultable objetivo de anular la aviación revolucionaria. Mas el resultado de las acciones fue incompleto y apenas

cinco aviones quedaron destruidos: un Sea Fury, dos B-26 y dos transportes. El grueso de la aviación de combate, varios aviones T-33 y cazas Sea Fury superiores en velocidad a los aviones enemigos, se mantuvieron intactos y se pudieron integrar de inmediato a la represión de la invasión.

Además de no haber completado su objetivo, la "Brigada 2506" perdió tres aeronaves y una cuarta se dirigió a los Estados Unidos para pedir oficialmente asilo, en una maniobra tendiente a "demostrar" que el gobierno norteamericano era ajeno a lo que acontecía en la isla.

Como era de esperar, tras el ataque, el gobierno revolucionario movilizó a sus tropas, a la vez que ordenó una sistemática represión contra los posibles contactos locales, desarmando en rápidos movimientos a los más importantes dirigentes capaces de encabezar un golpe militar.

Dos días más tarde, se produce el desembarco en Playa Girón y Playa Larga de unos 1200 a 1500 miembros de la "Brigada 2506", y poco después se les sumaron paracaidistas que intentarían ampliar la cabecera de playa y controlar los principales accesos a ella.

El gobierno de Castro siguió minuciosamente estos ensayos, disponiendo una inmediata represión con un poder de fuego concentrado que rápidamente le daría la victoria. De hecho,

casi al inicio del desembarco y una vez localizado el lugar exacto del mismo, la aviación cubana puso fuera de combate a siete aviones B-26 y a los buques "Houston" y "Río Escondido", en las cercanías de Playa Larga.

Por otra parte, el Ejército castristas fue cercando la zona y hostigando con artillería a los invasores desembarcados y a los que aún pretendían hacerlo. Al finalizar el día de combates, los barcos de la brigada invasora se batían en retirada, dejando a los que habían desembarcado sin equipos y municiones para resistir.

Con la iniciativa del lado revolucionario, el empuje del Ejército castrista fue arrollador, al grado que las unidades invasoras que habían logrado establecerse en las dos carreteras de acceso a Playa Girón fueron obligadas a retroceder hasta la zona de San Blas.

Mientras tanto, acosados por aire y tierra y sin la colaboración de sus propias naves, las tropas invasoras abandonaban Playa Larga para dirigirse a Playa Girón a efectos de conformar una única resistencia. Con Playa Larga bajo su completo control, el ejército cubano se aprestó a sofocar lo que quedaba de los invasores en Girón. A la mañana siguiente, los anticastristas comienzan a rendirse en masa. La victoria del ejército cubano es completa y los brigadistas "contras" son apresados por centenas. Los que

intentan huir son casi todos atrapados de inmediato. En total, el número de bajas entre los invasores sobrepasó el centenar de muertos y los capturados ascendieron a unos 1100 hombres. Por su parte, las fuerzas armadas revolucionarias sufrieron unas 150 bajas.

A partir de la derrota de las fuerzas invasoras, se abrió en Cuba un proceso político-judicial contra los opositores que tuvo inocultables objetivos pedagógicos tanto para la sociedad de la isla como contra aquellos que atentaban o pensaban atentar contra el nuevo gobierno. Si quedaba algo absolutamente claro, era que el nuevo gobierno no dejaría de defender por las armas su conquista del poder.

Ampliamente difundidos por la prensa local y de todo el continente, los juicios por la invasión abarcaron a soldados, profesionales, políticos e incluso miembros de la Iglesia, todos ellos comprometidos con la "liberación" proyectada en los Estados Unidos.

Muchos de los interrogatorios fueron transmitidos públicamente por radio y televisión, donde pudo verse, entre otros miembros del panel que hacía las preguntas a los prisioneros, a Jorge Ricardo Masetti corriendo el velo de la complicidad eclesiástica en el intento contrarrevolucionario.

A pesar de que muchos procesados fueron condenados a pasar varios años en prisión, algunos de ellos fueron canjeados por importantes sumas indemnizatorias, que el gobierno cubano destinó a obras de estructura elementales.

La derrota de la invasión apañada por el gobierno de los Estados Unidos supuso una consolidación del gobierno cubano y muy especialmente de sus sectores ligados al aparato militar, formado en el espíritu de la Sierra Maestra. Por su parte, para los Estados Unidos, la derrota modificó definitivamente la estrategia hacia Cuba, pasando desde ese momento a intensificarse todos los medios de sabotaje, incluido el estudio de la eliminación física de Fidel y de los principales referentes de la revolución.

De hecho, el propio presidente Kennedy delegó en su hermano Robert la dirección de la llamada Operación Mangosta, que concentraba todo lo concerniente al hostigamiento contra la isla. En términos políticos, diplomáticos y económicos, se estaba a las puertas del inicio de un bloqueo que aún perdura.

El gobierno cubano, por su parte, hallaría en la por entonces Unión Soviética un aliado sin par, cuyo apoyo le otorgaba por lo menos la seguridad de que los Estados Unidos meditarían

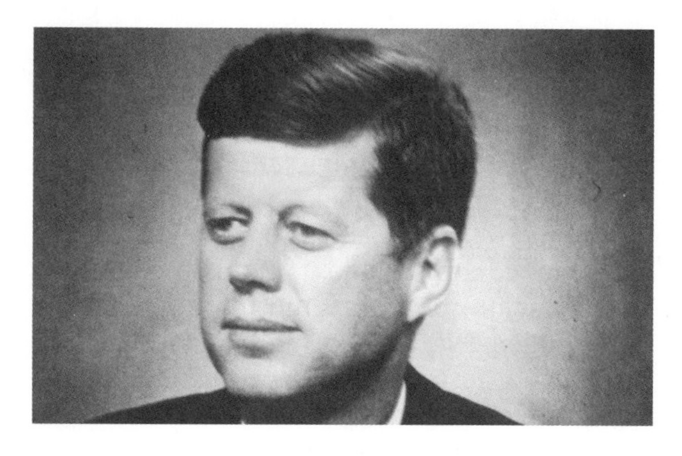

John Fitzgerald Kennedy gobernaba EE.UU. cuando se desató la crisis de los misiles.

seriamente cualquier otro tipo de intervención tan notoria y pública.

Tiempo después sería el propio embajador de los Estados Unidos quien señalaría los efectos de la intervención norteamericana en los asuntos contra Cuba:

> En abril de 1961 –señala Philip Bonsal– mil quinientos valerosos cubanos –seleccionados, equipados, entrenados, financiados, transportados, emplazados y eventualmente (los sobrevivientes) evacuados por nosotros– desembarcaron en Bahía Cochinos como elemento principal de una empresa para liberar a sus siete millones de compatriotas del aparato militar y de

seguridad de Castro, compuesto por unos cien mil hombres y mujeres bien preparados. Este fiasco, sumado a nuestra sustitución por la Unión soviética como principal asociado económico de Cuba, consolida la posición de Castro. Después de Bahía de Cochinos, el régimen se hizo tan fuerte internamente que incluso la crisis de los misiles en octubre de 1962, que demostró las verdaderas dimensiones relativas de los asociados, en el diálogo Castro-Jruschov, no logró debilitarlo.

La crisis de los misiles

La crisis suscitada a partir de la invasión de Bahía Cochinos y el posterior alineamiento de la isla con la Unión Soviética a partir de la declaración de fe socialista del gobierno cubano, prenunció dramáticamente un enfrentamiento que, a las claras, se avecinaba, aunque con insospechadas maneras de expresarse.

Por lo pronto, los Estados Unidos insistieron en el aislamiento cubano a la par que Cuba inició formales entrevistas con algunos presidentes de América, intentando recomponer una relación que evitara la ruptura en bloque del continente con el gobierno castrista. En esta dirección es que hay que entender las reuniones

de Guevara con el presidente argentino, Arturo Frondizi, y con el de Brasil, Janio Quadros.

De todos modos, el alineamiento general de los países americanos con los Estados Unidos coronó la estrategia del gigante del norte, y en enero de 1962 la isla fue excluida como integrante pleno de la OEA. La crisis desatada, pues, seguía su curso.

Mientras tanto, la Unión Soviética entendió el apoyo a Cuba como una estrategia de presión similar a la de los Estados Unidos cuando emplazó en territorio de Turquía, es decir a cercana distancia de la URSS, numerosos cohetes con ojivas nucleares. Ahora, los rusos estaban en condiciones de contar con un territorio aliado que les permitiría pergeñar una estrategia similar a la de sus grandes rivales.

Hasta dónde la Unión Soviética no deseaba que su estrategia fuera finalmente descubierta no termina de quedar definitivamente claro. De hecho, solo el conocimiento público de la amenaza a los Estados Unidos convertía la presión en, justamente, eso: una fuerza capaz de motorizar una negociación con poderíos equilibrados. Claro que lo importante, en todo caso, era que los Estados Unidos descubrieran la maniobra después de que la trampa estuviera instalada, y es eso exactamente lo que sucedió. No sería descabellado analizar la llamada "crisis

de los misiles" como una estrategia de inteligencia soviética de enorme eficacia.

Como fuere, los Estados Unidos descubrieron y anunciaron el peligro soviético inminente merced a lo que sus aviones espías pudieron fotografiar, es decir, las instalaciones de misiles secretas que los rusos estaban emplazando en la isla.

Como consecuencia de ello, el presidente Kennedy se dirigió a todo el país en un mensaje televisivo, el 22 de octubre de 1962, en el que señaló la necesidad de mantener a Cuba en una suerte de cerco militar que impidiera a los rusos continuar con el establecimiento de sus misiles. Por su parte, la Unión Soviética protestó airadamente y comunicó que su tránsito normal a Cuba no sería interrumpido por ninguna fuerza militar.

La tensión llegó así a uno de sus picos más elevados. Pocos días después, el derribamiento de un avión espía norteamericano por un misil soviético hizo creer que lo peor estaba por desencadenarse. No obstante, nada de eso ocurriría.

Mientras tanto, en la isla, las masas cubanas, con sus dirigentes a la cabeza, se preparaban para ser posibles protagonistas en un escenario de guerra.

El 27 de octubre los soviéticos enviaron al gobierno de Kennedy una propuesta de modera-

ción y negociación, por la cual se instaba a las dos partes a comprometerse a evitar una guerra nuclear de impensables consecuencias.

Los rusos daban para el caso una muestra de buena voluntad haciendo virar a sus barcos para retornar a sus puertos originales, con el fin de evitar cualquier conflicto entrando en aguas bloqueadas por los norteamericanos. Propusieron, además, desmantelar sus instalaciones misilísticas en Cuba, con el compromiso norteamericano de hacer lo propio con sus bases en Turquía.

Kennedy aceptó de buena gana el planteo, a pesar de que numerosos sectores de su gobierno y de la política norteamericana protestaron a viva voz. El compromiso norteamericano incluía, además, no invadir a la isla del Caribe, un acuerdo que para no pocos analistas le costaría al presidente norteamericano su propia vida.

En términos diplomáticos y políticos, tanto la URSS como los Estados Unidos dieron sus respectivos partes de vencedores, aunque ciertamente fue la Unión Soviética la que logró la ventaja de sacarse de encima la pesada carga que representaban los misiles en territorio turco.

En Cuba las negociaciones causaron tanta sorpresa como decepción. Castro no participó en ninguna de las tratativas entre los dos gigantes del mundo, y ni siquiera fue consultado sobre el desarrollo de la crisis. Los soviéticos simple-

mente apelaron a su propia presencia en Cuba como una amenaza tan mortífera como la de los Estados Unidos en Turquía, y eso fue suficiente para equilibrar las fuerzas y retomar el statu quo dominante en toda la llamada Guerra Fría.

La decepción de los cubanos fue enorme, tanto entre sus dirigentes como entre las masas, preparadas para defender nuevamente a su país como lo habían hecho durante la invasión a Bahía Cochinos.

Guevara fue uno de los más enfáticos críticos de la postura rusa de negociación, e incluso estaba de acuerdo en activar los misiles si ello fuera necesario para detener al "pulpo imperialista".

Las masas cubanas estaban en las calles al sugerente canto de "Nikita mariquita, lo que se da no se quita", un inequívoco mensaje a los soviéticos por levantar los misiles de la isla. El propio Che no ocultó su enojo y en un escrito que vería la luz seis años más tarde manifestó:

> Es el ejemplo escalofriante de un pueblo que está dispuesto a inmolarse atómicamente para que sus cenizas sirvan de cimiento a sociedades nuevas y que cuando se hace, sin consultarlo, un pacto por el cual se retiran los cohetes atómicos, no suspira de alivio, no da gracias por la tregua; salta a la palestra para dar su voz propia y única, su posición combatiente, propia y única, y más lejos, su decisión de lucha aunque fuera solo.

La crisis que se produjo en octubre de 1962 mantuvo en vilo al mundo entero.

La solución negociada entre los Estados Unidos y la Unión Soviética pondrá un momentáneo marco de tensión entre los dirigentes soviéticos y los cubanos, aunque los primeros no cambiarán un ápice sus acuerdos con los Estados Unidos. De todos modos, el malestar cubano hallaba sus límites en la dependencia cierta que la isla comenzaba a tener con la potencia del Este, aunque algunos dirigentes se darán el gusto de declamar a quien quisiera oírlos su desagrado con la burocracia del Kremlin. Posiblemente, el Che será el más importante de ellos.

7

El internacionalismo guevariano

En los inicios de aquel incomparable 1959, el Che pasará unos meses en una casa veraniega situada a pocos kilómetros de La Habana, en la playa de Tarará. Aunque la excusa elegida para justificar su presencia en ese sitio fue la necesidad de recuperarse físicamente por las extenuantes campañas en la sierra, no resulta demasiado creíble que Guevara tolerara semejante desigualdad, es decir, él en una playa soleada, y el resto de sus hombres en distintos lugares de trabajo o destino, continuando con la lucha revolucionaria.

Por otra parte, en Tarará no se hallaba solo Guevara, sino también otros dirigentes revolu-

cionarios. Por supuesto, y en esto Castañeda acierta, no se trataba de una colonia de vacaciones, sino de una "especie de gobierno paralelo" establecido para debatir una serie de temas centrales para el futuro inmediato de la revolución. Uno de estos temas será la "internacionalización de la revolución cubana", y el Che uno de sus principales promotores.

Pocos meses después de aquellas reuniones en la soleada playa de Tarará, los frutos comenzarán a verse de manera sostenida, aunque en verdad con peor suerte que la proyectada.

En abril de 1960, unos cien exiliados panameños parten de Cuba con destino a su país, para intentar allí lo que los cubanos en la isla. Probablemente haya sido esta la primera fuerza insurgente que, preparada en Cuba, saliera a tales efectos, pero no sería la última. Dos meses más tarde, un grupo numeroso de dominicanos, acompañados por casi una docena de cubanos, haría lo propio. Y si a los panameños el ejército regular los recibiría decidido a rechazarlos, a los dominicanos directamente los masacraron.

Este fracaso, a su vez, impidió que se pusiera en marcha otro plan similar, esta vez destinado a Haití.

También por entonces (corría la primera semana de junio) una fuerza cubano-nicaragüense intentó ingresar en Nicaragua para llevar ade-

Anastasio Somoza García, militar y dictador nicaragüense. Fue uno de los paradigmas de la violencia de Estado ejercida en los países latinoamericanos por varias décadas.

lante una guerrilla contra la dictadura de Somoza. Las fuerzas insurgentes sumaban una cincuentena de combatientes, entrenados todos ellos en Cuba. La suerte de esta última escuadra fue tan desastrosa como las anteriormente relatadas, y cuando intentaron ingresar al continente, fueron repelidos por una fuerza conjunta de Honduras y Nicaragua que terminará con la misión revolucionaria muy rápidamente, produciéndole no menos de nueve muertos, mientras que el resto caerá apresado, muchos de ellos heridos.

En todos los casos citados, las escuadras revolucionarias se destacaron especialmente por

dos elementos. Por un lado, es evidente el compromiso político del Che en cada uno de estos proyectos, siendo él mismo uno de sus principales instigadores e inspiradores para que los combatientes se decidieran, finalmente, a tomar las armas y comenzar a operar; ese compromiso, por otra parte, involucraba los aspectos técnicos y logísticos, y de hecho Guevara les llegó a brindar, por ejemplo, la colaboración a través de su piloto personal, encargado de llevarles provisiones y armas.

Pero así como se distingue el entusiasmo liberador de estos grupos pioneros, por otro lado, también destaca el carácter apresurado y rudimentario de estos mismos proyectos, en los que intervienen pocos hombres y con una escasa preparación y medios para las colosales empresas en las que se habían embarcado. De hecho, en ninguno de los cuatro fracasos señalados se había establecido, por ejemplo, una labor política previa en las regiones a intervenir, por lo que se partía de cierta orfandad política.

Es que la Revolución Cubana se había impregnado tanto con una confianza ciega que nada parecía más esencial que comenzar a actuar. Osvaldo de Cárdenas, un agente cubano de Inteligencia, señala rememorando aquellos años iniciales:

> Estábamos convencidos de que el destino de Cuba era inspirar revoluciones... Pensábamos que la revolución cubana era apenas el comienzo de cambios (similares) en América Latina y que eso sucedería muy rápidamente. Entonces, ¡a trabajar! Todos estábamos imbuidos de ese espíritu... todos queríamos ir a la guerrilla en alguna parte. Había planes de ir a Paraguay y derrocar a Stroessner. Había planes de luchar contra Trujillo y algunos fueron, unos con autorización y otros sin ella. Había planes para derribar a Somoza. Sí –concluye Cárdenas–, donde había un tirano, un dictador latinoamericano, era automáticamente nuestro enemigo.

Resulta curioso que la inteligencia militar de la guerrilla diera tan poco espacio a los análisis políticos sobre la región a revolucionar, dedicándose exclusivamente a montar una logística adecuada. Claro que el propio Guevara había dado legitimidad política a cada uno de estos intentos en función de su inclaudicable internacionalismo. Pronto las derrotas señalarían hasta donde las estrategias políticas y militares resultaron un completo fracaso.

Por lo pronto, la inteligencia cubana fue profesionalizando cada vez más sus estructuras, estableciendo secciones específicas en las que la preparación de focos revolucionarios tenía un papel preponderante. Ese era, en especial, el se-

cretísimo "Departamento M", dirigido por Manuel "Barbarroja" Piñeiro, uno de los hombres ligados a los hermanos Castro desde los orígenes de la lucha, y que se había destacado como responsable de la inteligencia en el Segundo Frente Oriental. Entre otras cosas, Piñeiro comenzó a crear un aparato relativamente autónomo, cuya función específica era apoyar a los movimientos revolucionarios y de liberación nacional que por entonces se reproducían con una veloz dinámica por todo el llamado Tercer Mundo.

El departamento creado se denominó M.O.E. (Operaciones Especiales), dirigido por el capitán Olo Pantoja. Será el M.O.E. el organismo encargado de preparar la "Operación Andina", diseñada por el Che en su afán de realizar aquel sueño dorado que Fidel había sintetizado muy gráficamente: convertir a la Cordillera de los Andes en la "Sierra Maestra de América del Sur". El inicio debería darse en un corredor que unía la Argentina, Bolivia y el Perú.

En efecto, en 1962, Olo Pantoja partió hacia Bolivia para entablar con los peruanos Héctor Béjar y Javier Heraud las bases de una guerrilla de apoyo al dirigente campesino trotskista Hugo Blanco, quien venía desarrollando en la zona de La Convención, Perú, un importante movimiento rebelde.

Javier Heraud, además de revolucionario, fue un poeta que perteneció a una familia acomodada de Lima.

A diferencia de los primeros intentos guerrilleros ya señalados, en esta oportunidad la operación tiene un claro carácter que la distingue: la precede un vasto trabajo político y organizativo entre los campesinos, los que no solo han constituido sindicatos, sino también piquetes armados de autodefensa.

La operación, lanzada desde territorio boliviano, será sin embargo rápidamente desarticulada cuando el ejército peruano embosque a los rebeldes en Puerto Maldonado –en la frontera con el Perú–, donde Heraud morirá en un enfrentamiento. El resto de los combatientes se replegarán penosamente hacia Bolivia, sumidos en la mayor desesperanza.

Paralelamente a estas operaciones, el comandante Piñeiro le encargará a Ulises Estrada la elaboración de la logística para una operación en la Argentina, como parte del mismo proyecto andino que tenía en los peruanos a uno de sus soportes. La dirección de las operaciones en la Argentina recaerá sobre Jorge Ricardo Masetti, un hombre que había sido especialmente distinguido por el Che para ocupar ese sitial.

Según señala Taibo I, las primeras conversaciones entre Guevara y Masetti sobre la posibilidad de abrir un frente guerrillero en la Argentina datan de 1961, algo que es verosímil teniendo en cuenta que para el Che constituía una prioridad y

que Masetti era, a esa altura, uno de sus hombres de mayor confianza. Resulta, pues, razonable que el primero compartiera y entusiasmara al segundo con estos planteos.

Como queda dicho, los dos argentinos se habían conocido durante las entrevistas que Masetti le había hecho a los comandantes revolucionarios cuando aún peregrinaban por la Sierra Maestra, y tanto Fidel Castro como Guevara habían quedado particularmente impresionados por las cualidades del joven entrevistador.

Masetti no solo había demostrado pasión periodística, sino un increíble valor para subir a la sierra y sortear todo tipo de obstáculos en pos de su objetivo. Por otra parte, a los comandantes les había quedado bien claro que Masetti se había adherido tempranamente a la causa revolucionaria y que sería un fiel representante de la misma. No en vano el Che lo había escogido para dirigir *Prensa Latina*, la célebre agencia de noticias de la revolución.

Para 1961, la experiencia de Masetti al frente de *Prensa Latina* termina abruptamente tras acalorados meses de enfrentamiento entre el director de PL y el Partido Comunista cubano, que ansiaba dirigir directamente con uno de sus hombres a la estratégica agencia.

Esos devaneos no alejan a Masetti de Guevara, sino todo lo contrario, ya que ambos com-

partían las mismas críticas al PCC y sus intentos de copar todas las porciones de poder. Masetti, pues, era un hombre leal y confiable, lo que lo convirtió, a los ojos del Che, en la primera opción para dirigir la guerrilla en la Argentina.

Por entonces proliferaban en Cuba grupos de militantes de toda América que, inspirados por el ejemplo caribeño, se entrenaban para repetir el proceso revolucionario en sus respectivos países.

Entre estos grupos, como es de prever, había varios compuestos por argentinos, y sobre ellos el Che depositará sus expectativas.

Por lo pronto, el Partido Comunista Argentino tenía numerosos cuadros en instrucción militar en la isla. El Che, por cierto, recelaba del PCA como así también de otros PC latinoamericanos, ya que conocía perfectamente la subordinación de estas organizaciones a las directivas del Kremlin, a los ojos del Che una dirección burocrática que poco honor le hacía a las banderas del internacionalismo revolucionario.

Pero el PCA no era la única organización que había enviado militantes a la isla para entrenar. También se hallaba en La Habana con un reducido grupo de compañeros el "Vasco" Bengoechea, dirigente del partido trotskista Palabra Obrera, que se acercará a las posiciones guevaristas al grado

de organizar una guerrilla para operar tanto en el ámbito rural como en el urbano.

La presencia argentina se completaba con militantes provenientes de un desprendimiento del Partido Socialista, encabezado por Elías Semán, y la Formación Revolucionaria Peronista, que alentaba John W. Cooke y su compañera Alicia Eguren, compuesta por ex miembros de la Resistencia Peronista y otros tantos que oscilaban en la más variada gama del peronismo, fuesen ya nacionalistas de derecha como de formación marxista que veían en el nacionalismo popular un camino posible hacia la revolución.

Buena parte de este variado elenco se encontró con el Che el 25 de mayo de 1962, en ocasión de un asado organizado por el Instituto de Amistad Argentino-Cubano para los connacionales que se hallaban en la isla. La ocasión le sirvió al Che para calibrar a los diversos grupos que se habían acercado a conocer la experiencia cubana, y a partir de ello saber con quién podía contar para sus propios planes.

Guevara, fiel a su costumbre, se dirigió a los presentes con un discurso en el que subrayó dos de las principales ideas que abonaban su proyecto guerrillero. En primer término, la demostración de que "los ejércitos represivos se pueden destruir"; en segundo lugar, que "las condiciones objetivas (para la revolución) están

dadas en toda América; no hay país de América en que no estén, en este momento, dadas al máximo". Dice además el Che:

> Nosotros demostramos que las condiciones especiales de Cuba, las condiciones subjetivas, iban madurando al calor de la lucha armada; que la lucha armada era un catalizador que agudizaba los hechos, y que iba haciendo nacer una nueva conciencia.

Guevara, que no solía ser afecto a las medias tintas, se cuidó especialmente de no revolver demasiado al variado grupo de asistentes, y guardó para otra ocasión la andanada ideológica que gustaba descargar en sus intervenciones, todo ello, en esta ocasión, en virtud de salvar una unidad que no parecía muy sólida. No obstante, no pudo con su genio y desplegó su inveterado discurso internacionalista:

> Nuestra revolución –enfatizó– es una revolución que necesita expandir sus ideas, que necesita que otros pueblos la abracen, que necesita que otros pueblos de América se llenen de bríos, que tomen las armas o tomen el poder, lo mismo da, porque, en definitiva, al tomar el poder hay que tomar las armas después, y nos ayuden, nos ayuden en esta tarea, que es la tarea de toda América, que es la tarea de toda la humanidad.

De alguna manera fue suficiente para él, ya que dejaba planteada una cuestión a la que jamás renunciaría: el internacionalismo. Pero también había sido suficiente para los escuchas, muchos de los cuales se sintieron molestamente afectados. Es que ni a la derecha nacionalista del peronismo le caían bien los cantos internacionalistas del Che, ni a los dirigentes del Partido Comunista argentino les agradaban las referencias a la toma del poder y las armas, cuestiones que el comunismo argentino había desechado hacía bastante tiempo.

Tras la comida y a pesar de las alusiones a la unidad y a las mejores intenciones, Guevara fue visto con cierta desconfianza por los diversos grupos. Algunos fueron sumamente explícitos y abandonaron casi de inmediato sus intentos de seguir preparándose para la guerrilla.

En cuanto al Che, le quedó absolutamente claro que la forja de un grupo vanguardista debía recaer en quien le diera la confianza necesaria de no renunciar al proyecto, aunque el mismo estuviera plagado de complicaciones. Para él, Masetti era el hombre que reunía las condiciones para dirigirlo. No resulta extraño entonces que, paralelamente a estas observaciones, ya había ordenado que el propio Masetti y un puñado de hombres comenzaran a ser preparados militarmente bajo su directa supervisión. Por otra parte,

John William Cooke. Fue una de las figuras más destacadas de la izquierda peronista y un hombre que compartía la idea de la lucha armada para la toma del poder.

el Che también se encargará de buscar los soportes políticos y logísticos para su amigo. John W. Cooke será una de sus más sólidas apuestas.

EL ARMADO DE LA ESTRUCTURA

La relación entre el Che y Cooke se remontaba a no muchos años atrás, cuando el "Bebe", como era conocido el dirigente peronista, se vio involucrado en un confuso episodio en Cuba, donde había sido detenido tras ser acusado por el embajador argentino, Julio Amodeo, de "terrorista". Cooke apeló entonces a Masetti, a

quien había conocido cuando el primero dirigía la revista *De Frente* en la que el segundo colaboró de manera esporádica. Así las cosas, Cooke y Masetti se reencontraron en La Habana, quedando a su vez establecido el puente para que el "Bebe" fuera presentado al Che.

Hasta dónde Cooke y su compañera Alicia Eguren contribuirán con Guevara para establecer la guerrilla de Masetti en la Argentina es ciertamente un tema controversial. Ciro Bustos, quien tendrá un lugar protagónico de primerísimo nivel en la empresa, se inclina a sostener que:

> Cooke, y menos Alicia, no supieron nunca nada, ni lo sospecharon. Nosotros sí sabíamos de ellos pero no a la inversa.

No obstante, algunos investigadores sostienen que, efectivamente, la pareja Cooke-Eguren tuvo una participación directa y activa, especialmente en proveer cierta estructura logística, a pesar de que no apoyaban el establecimiento de un foco combatiente sin que hubiera un sostenido y previo trabajo político en la región.

De quien sí no quedaron dudas de su participación en la empresa es del viejo compañero de viajes del Che, Alberto Granado, quien se

convertirá en una pieza clave en el reclutamiento de cuadros para la nueva guerrilla en ciernes.

Este requerimiento del Che a Granado es sintomático de cómo se gestó todo el proyecto. ¿Por qué Granado, un individuo sin experiencia militar y política, participa tan decisivamente junto al Che? ¿Resulta un indicio de cierta soledad de Guevara, que lo obliga a descansar en sus relaciones más íntimas como soportes para sus proyectos políticos? Como fuere, lo cierto es que el antiguo compañero de andanzas por América será el encargado de establecer los contactos entre el Che y los primeros combatientes que se prepararán para desencadenar la guerrilla en la Argentina.

Granado conocía al joven plástico Ciro Roberto Bustos, quien se hallaba en La Habana desde abril de 1961. En el curso de su relación, el primero había podido comprobar que Bustos sentía una especial atracción por la experiencia cubana y que bien podía convertirse en un hombre de acción. El propio Bustos recordará que Granado lo sometió a numerosas charlas donde el tema recurrente era:

> Cuba, la revolución americana, la Argentina, el Che... el Che, la Argentina, la revolución...

Por fin, cuando Granado se convenció de la fidelidad de Bustos hacia la revolución, le ofreció una reunión con quienes estaban pergeñando planes guerrilleros para la Argentina. Bustos aceptó encantado y tiempo después se sumaba al núcleo inicial, que ya tenía varios integrantes: Federico Méndez y "Miguel", ambos también reclutados por Granado; el médico Leonardo Werthein, un porteño amigo de Masetti; el cubano Hermes Peña, miembro de la escolta personal del Che; Masetti y ahora el propio Ciro Bustos.

El pequeño comando inició rápidamente su instrucción militar, cuya responsabilidad recayó sobre algunos experimentados oficiales que habían participado en la campaña de la Maestra y el Escambray, y otros instructores, como el veterano general de la Guerra Civil española Angelito Francisco Ciutat. Como correspondía a futuros combatientes, la instrucción implicaba:

> ...de todo, todo el día y casi toda la noche, sin parar. A mí –señala Bustos– me destinaron a los cursos de inteligencia y seguimientos, que implicaba trabajar todo el tiempo con claves, cifrados y descifrados, chequeos y seguimientos, tintas invisibles y embutidos. Parte importante de la formación... Se hacía hincapié permanentemente en lo que había que estar dispuestos a sacrificar: desde la familia, pasando por el orgullo personal, hasta todos los honores y la vida, de ser necesario.

El Che seguía de cerca la evolución de su grupo y visitaba de continuo el campamento en el que se hallaban. No era el único que los frecuentaba. También asistían varios oficiales de inteligencia, como Juan Ariel Carretero, Barbarroja Piñeiro y el jefe de la Policía cubana, Colomé Ibarra, "Furry", lo que demuestra hasta dónde se cifraban expectativas en el proyecto guevariano.

La dirección del grupito era, por supuesto, de Masetti, quien tenía como primer colaborador a Hermes Peña. Por fin, tras unos meses de entrenamiento y espera, Guevara reunió a su reducida y exclusiva tropa y les dijo:

> Bueno, aquí están. Ustedes aceptaron unirse a esto y ahora tenemos que preparar todo, pero a partir de ahora consideren que están muertos. Aquí la única certeza es la muerte; tal vez algunos sobrevivan, pero consideren que a partir de ahora viven de prestado.

Luego de concluida su preparación en Cuba, primero, y luego en Praga y Argelia, el foco guerrillero se instalará en Bolivia, adonde llegan en junio de 1963, para establecerse en Emboruzú, un caserío próximo a la frontera argentina. Será allí donde los guerrilleros concluirán la planificación de su inminente peregrinar salteño.

En el lado argentino, una veintena de militantes, tan entusiastas como ellos, aguardaban la orden para subir al monte e iniciar las operaciones. La región salteña de Orán, en términos logísticos, constituía un sitio casi ideal, donde la serranía, cubierta de un monte espeso y casi despoblado, se erigía como un oportuno santuario para su seguridad. Desde allí, Masetti, convertido ya en el "Comandante Segundo", lideraría al Ejército Guerrillero del Pueblo (EGP), primera guerrilla guevarista en la Argentina.

Los hombres del Che

La dirigencia del EGP es claramente una extensión del Che. Masetti, con su apodo de Comandante Segundo, obedecería a un Comandante Primero que no sería otro que Guevara. Por su parte, algunos de los sobrevivientes de la experiencia explicaran el seudónimo como contrapartida al que había utilizado el Che: "Martín Fierro"; Masetti sería "Segundo", por Don Segundo Sombra, otro personaje gauchesco. Acompañan a Masetti algunos cuadros formados por el Che, de su entorno más estrecho: sus asistentes personales, chofer y guardaespaldas y, sobre todo, hombres que Guevara incorporó a su columna en el Escambray. Para algunos, Hermes Peña y Al-

berto Castellanos representan al Che en la guerrilla de Masetti.

Según conjetura Jorge Castañeda:

> Ernesto Guevara tenía toda la intención, desde su paso por Argelia quizás, de abandonar Cuba e ir a pelear a su país de origen.

Era improbable, argumenta este autor, que el Che enviase a su guardia más cercana a una misión tan peligrosa, sin haber resuelto incorporarse él mismo. Según el testimonio de Castellanos, Guevara le había avisado: “Yo voy pronto. Te vas a esperar ahí”.

Dos serán las vertientes principales que proveerán de miembros a la guerrilla de Masetti, ya sea como guerrilleros, o como integrantes de las redes urbanas de apoyo. Por un lado, las fracturas del Partido Comunista Argentino, principalmente de su ala juvenil: la Federación Juvenil Comunista (FJC) y del aparato de seguridad. Por otro lado, la militancia universitaria, en especial la de la Facultad de Filosofía y Letras de la Universidad de Buenos Aires, profundamente atraída por la experiencia cubana.

Buenos Aires, Córdoba y Rosario constituirán los principales focos de afluencia. De Córdoba llegarán, para encontrarse con Masetti: Juan Héctor Jouve, estudiante de Medicina, y su

hermano, Emilio Jouve; Nardo Groswald, ex-militante comunista; Lázaro Henry Lerner, estudiante de Medicina y afiliado a la FJC; Alberto Korn y el médico Samuel Kiezkowsky, este último ex militante de la FJC y ligado al grupo de José Aricó.

De la universidad porteña subirán al monte Eduardo Masulo, César Augusto Carnevalle y Diego Miguel Magliano, estudiantes de la Facultad de Filosofía y Letras; Marcos Szlachter, estudiante de Ingeniería pero estrechamente ligado al grupo anterior; Jorge Bellomo, militante del Partido Socialista y estudiante de Medicina, y Federico Frontini, joven de formación marxista y ligado a los ámbitos culturales. En total, el número de los guerrilleros instalados en Salta ascendía a algo más de una veintena.

Por otra parte, la crisis que agitaba al PCA se expresaba en fracciones importantes que simpatizaban, en distintas intensidades, con las posiciones que irradiaba la revolución cubana. Surgen así en Buenos Aires el grupo que edita *La Rosa Blindada*, orientado por José Luis Mangieri; el de Juan Carlos Portantiero, también en la Capital; en Córdoba el de José Pancho Aricó y en Rosario el de Luis Ortolani y Liliana Delfino.

Aricó, Portantiero y otros editarán la revista *Pasado y Presente* y casi todos los grupos disi-

dentes conformarán hacia 1963 la agrupación Vanguardia Revolucionaria (VR). El denominador común de estos grupos es la desconfianza y el rechazo hacia la dirección codovillista del PCA y la certeza de que dicho partido no hará más que rehuir la acción revolucionaria con su política reformista de conciliación de clases. Según los términos de Pancho Aricó:

> La Revolución Cubana, esa revolución intrusa, ese hecho inesperado, desconcertante, que venía a derrumbar los perfectos y aburridos esquemas transformistas de quienes ya habían decidido postergar las revoluciones para las "calendas griegas", nos conmovió profundamente. Frente a la opinión "oficiosa" del grupo dirigente del Partido, desconfiado como siempre de todo lo nuevo, Cuba se nos aparecía más que como una excepción o un hecho afortunado... como la apertura de un nuevo curso revolucionario.

De acuerdo al testimonio de uno de los hombres de VR, L. Ortolani, la ligazón con el EGP fue estrecha:

> A comienzos de 1963 abandonamos juntos el Partido Comunista. Los que hicimos esa ruptura en Rosario formamos un grupo que se autodenominó Vanguardia Revolucionaria. Andando un poco en el tiempo descubrimos que lo único que teníamos en común entre nosotros era una crítica muy dura contra la buro-

> cracia del PC a nivel nacional e internacional [...] En general teníamos simpatía por la Revolución Cubana, Fidel Castro, el Che Guevara, y éramos foquistas. Estuvimos ligados como una especie de grupo de apoyo en las ciudades a lo que fue la guerrilla del EGP.

Según testimonios diversos, el propio Aricó habría subido al monte, aunque seguramente no para incorporarse como combatiente, sino para entrevistarse con Masetti y establecer una logística entre ambos grupos.

Un caso testigo del clima que se vivía en las filas del comunismo y la búsqueda de otros horizontes políticos nos lo brinda uno de los que poco después integrará la guerrilla de Salta: Marcos Szlachter. Cuando su amigo Néstor Lavergne le pide la afiliación a la FJC, de la que aquel era miembro, Szlachter le responde: "¿Para qué, si este Partido no va a hacer la revolución?" Y concluye: "Hay que buscar otra cosa ...".

Armada toda la estructura del foco que operaría en Salta, quedaba en cuestión si, efectivamente, el grupo aguardaría a que se dieran otras condiciones políticas que las que se estaban presentando. De hecho, se habían realizado elecciones en el país y un presidente radical, el doctor Arturo Illia, estaba al frente ahora del Ejecutivo Nacional. La cuestión no era menor, y

mucho menos teniendo en cuenta que el propio Guevara había recomendado muy especialmente no iniciar una guerrilla allí donde hubiera un gobierno surgido por las urnas.

¿Qué sucedió entonces para que Masetti decidiera iniciar las operaciones? ¿Fue acaso una decisión propia del Comandante Segundo o la misma estuvo plenamente avalada por el propio Che?

Todo indica que Masetti, efectivamente, interpretó a Guevara y decidió comenzar a operar en función de lo que creía firmemente era la posición de su jefe. Por entonces, el Che priorizaba la urgencia de continentalizar la Revolución Cubana como un método eficaz de defenderla de cualquier posible desviación burocrática, tal era el rumbo que a sus ojos tomaba la dirigencia de la isla en virtud de la presión soviética.

Guevara constituía a esa altura el dirigente más lúcido de la Revolución Cubana y el que entendía plenamente los graves peligros que significaba que la isla fuera un engranaje más de la maquinaria soviética. Para el Che, solo la continentalización de la revolución podía poner fin, o por lo menos un límite severo, tanto a la presión norteamericana como a la soviética, con su arrasadora política de captar para su propio provecho la revolución.

Arturo Illia fue un médico y político argentino. Ejerció el cargo de presidente de la Nación Argentina entre el 12 de octubre de 1963 y el 28 de junio de 1966.

En este sentido, Guevara representaba lo más genuino de la tradición marxista e internacionalista, que aborrecía no solo las teorías "nacionales" de la revolución socialista, sino que profundizaría con el tiempo estas críticas hasta llegar a plantear, pocos años más tarde, una disidencia central con el Partido Comunista de la URSS y cada uno de sus acólitos. El discurso que en febrero de 1965 daría en Argel es, para el caso, un ejemplo sin par.

Ahora bien, entendiendo esta urgencia guevariana de continentalizar la revolución, Masetti halló el elemento que le faltaba para legitimar el inicio de las operaciones. El 9 de julio de 1963,

un fragmento de la llamada "Carta al presidente Illia", reproducida por el periódico *Compañero*, dirigido por el peronista de izquierda Mario Valotta, daba cuenta de que las acciones habían comenzado. Por lo pronto, se trataba de un anuncio, pero fue suficiente para alertar a los servicios de seguridad e inteligencia que, sin perder demasiado tiempo, pusieron manos a la obra.

EL EGP EN OPERACIONES

Una vez establecida la base de operaciones en el norte salteño –más precisamente en la región de Orán–, el grupo dedicó gran parte del tiempo al reconocimiento del terreno y la elaboración de mapas. Un sobreviviente de la guerrilla confirmará que se había trabajado sobre la base de una cartografía antigua y se debían relevar datos para su actualización. A tal efecto salían del campamento madre durante 2 o 3 días, para regresar con los nuevos registros.

Diversos testimonios coinciden en la hostilidad del monte. El terreno y la vegetación rasgaban uniformes y calzado, provocando no pocos accidentes: el guerrillero Antonio Paúl morirá tras sufrir un despeñamiento y el propio Masetti caerá de un barranco quedando malherido.

La fauna del monte se convirtió en un doble problema para los guerrilleros. Por un lado hostilizaba su paso. Frontini cuenta que una picadura le causó tal infección que lo rezagó a la retaguardia, y que los insectos y monos los molestaban sin cesar durante sus largas caminatas. Rojo relata que un guerrillero fue capturado por la gendarmería:

> ...en la copa de un árbol, donde ha debido refugiarse para escapar de las garras de dos tigres del monte...

Y otro combatiente fue atacado por chanchos salvajes. Pero así como la fauna del monte se hacía presente para hostigarlos, cuando los guerrilleros la buscaban para alimentarse, no la hallaban. Los monos desaparecían, dirá Frontini mientras recuerda los intentos por capturarlos...

Por otra parte, varios guerrilleros se descompusieron al comer frutos tóxicos que hallaban a su paso. Esta situación aparejó gravísimos problemas, sobre todo a partir de que el cerco impuesto por la gendarmería impidió que la guerrilla pudiese acudir a los almacenamientos de víveres que tenía dispersos por la zona. Al menos tres guerrilleros murieron de hambre: Marcos Szlachter, Diego Magliano y César Carnevalle. Casi todos los detenidos presentaban un avanzado estado de desnutrición.

La vida en los campamentos no parecía muy animada. Frontini no recuerda, por ejemplo, reuniones de debate y análisis político. El tiempo transcurría principalmente caminando. Por otra parte, los jefes eran muy herméticos. Peña casi no hablaba y Masetti leía y se la pasaba escribiendo. Un sobreviviente, citado por Walsh, decía del Comandante Segundo:

> Nunca hablaba de su vida personal. Sabíamos que tenía mujer e hijos porque una vez los mencionó.

A diferencia de la experiencia en la Sierra Maestra, los guerrilleros de Masetti no tenían contacto con pobladores, salvo contadísimas excepciones. No es difícil suponer una espiral donde el aislamiento social y político más la inclemencia del medio natural empujan al grupo a la incertidumbre y a la duda, y estas a su vez buscan ser conjuradas por los jefes con la apelación a una fe militante, a una rígida disciplina y a cuantos medios se disponga para reforzar la voluntad colectiva.

Seguramente es esta necesidad de alimentar en los demás y en sí mismo la fe militante la que empuja a Masetti a escribirle a su mujer:

> Ahora llevamos recorridos más de un centenar de kilómetros en el mapa, aunque en realidad son muchísimos

más. Nuestro contacto con el pueblo es desde todo punto de vista.

Los idus de marzo

Estamos en los inicios de 1964. Pocos meses atrás (octubre de 1963) el Dr. Illia había asumido la presidencia, tras obtener un modesto triunfo en las elecciones. La CGT, que califica al gobierno como ilegítimo, anuncia en enero un nuevo plan de lucha. Simultáneamente, crece el reclamo por el retorno del general Perón al país.

Solitariamente, en el monte salteño, las columnas de Masetti habían comenzado su marcha. Dos hechos precipitarán el desenlace del intento guerrillero. Por un lado, la misma "Carta al Dr. IIlia" de 1963, como queda dicho, habría alertado a los servicios de inteligencia.

En febrero de 1964, dos agentes de los servicios lograrán infiltrarse en el EGP: Víctor Eduardo Fernández y Alfredo Campos. Una de sus estrategias consiste en atizar conflictos internos: es así como generan, de inmediato, un incidente con uno de los guerrilleros, Diego Magliano, quien finalmente será herido de bala.

Paralelamente, la gendarmería busca contrabandistas fronterizos, alertada por la extraña presencia de algunos hombres en la zona de

Orán: su sorpresa va a ser mayúscula cuando halle un primer campamento y se encuentre con armas y uniformes en vez de mercancías.

El gobierno de Illia responderá de inmediato: luego de conversaciones del Presidente con sus ministros del Interior y Defensa, Juan Palmero y Leopoldo Suárez, respectivamente, se encomienda a la Gendarmería Nacional la represión del foco guerrillero. La elección no es casual: esta fuerza viene recibiendo entrenamiento antiguerrilla desde principios de los años sesenta. Algunos de sus jefes recibieron instrucción en Panamá y Estados Unidos por parte de oficiales norteamericanos, y en Argentina por parte de especialistas franceses experimentados en la guerra de Argelia. Avalaban esta intervención militar las facultades que le otorgara al gobierno el decreto-ley n° 788, denominado de Seguridad del Estado, de enero de 1963.

La acción gendarme se desarrollará entre los primeros días de marzo y mediados de abril de 1964. Será la Gendarmería Nacional, a cuyo frente se encuentra el Gral. Julio Alsogaray, la responsable político-militar de la represión de la guerrilla de Masetti, incluyendo las brutales torturas infligidas a los guerrilleros detenidos. Desde el punto de vista militar, la guerrilla de Masetti no realizó ninguna actuación. No buscó el enfrentamiento armado y, hasta donde sabe-

mos, no hubo resistencia armada en las numerosas detenciones que realizó la gendarmería.

Sin embargo, el 26 de marzo el general Alsogaray declarará alarmado:

> El movimiento es importante y serio. Tiene conexiones adentro y fuera del país. Cosas que creíamos lejanas ya están ocurriendo. Si esto se llama guerra revolucionaria –alertará–, esta guerra ya comenzó en la Argentina.

El cerco que tiende la gendarmería es implacable y cuenta con el apoyo de numerosas tropas aprovisionadas, incluso con logística aérea. Hacia fines de marzo la gendarmería había capturado a casi la totalidad de los guerrilleros y tomado sus campamentos de provisiones.

El Comandante Segundo escapa, posiblemente acompañado por un solo hombre –Atilio– y se interna en la selva. A mediados de abril cae otro grupo de guerrilleros entre los que se encuentran Héctor Jouve y Carlos Bondoni. Serán los últimos. A partir de entonces no habrá más detenciones en el monte. Masetti y Atilio no aparecerán nunca. La guerrilla ha sido derrotada. Comienza un nuevo capítulo. Las detenciones, las escabrosas torturas ensayadas por la gendarmería y un proceso viciado por todo tipo

de irregularidades que concluirá con el establecimiento de penas que van de unos pocos meses a perpetua para dos de los procesados.

Si en 1962 todo era emoción y esperanza en el foco salteño, dos años más tarde las cosas se manifestaban abiertamente diferentes.

A pesar de los recaudos tomados, la mejor preparación, la calidad probada de los hombres que dirigían las columnas y, en definitiva, el mayor soporte técnico de toda tentativa, la guerrilla de Masetti resultó un fracaso tan rotundo como la inmediatamente anterior en el Perú. Para abril de 1964, la guerrilla argentina del Che había sido completamente desbaratada.

La desaparición del EGP representó para el Che un golpe del que le costará tiempo reponerse. De hecho, no llegaba a comprender por qué las cosas se habían desarrollado de manera tan gravosa para el grupo combatiente y cómo habían llegado a tener los problemas de abastecimiento que padecieron. Más aún contando con dos experimentados hombres de la selva y la sierra, como Hermes Peña y Alberto Castellanos.

Fiel a sus lecturas voluntaristas, Guevara saca una conclusión según la cual las fallas logísticas minaron todo el proyecto. No cuestionó, en cambio, la falta de condiciones políticas para desencadenar la guerrilla rural, en un país contundentemente urbano que atravesaba

Guevara y Nasser. África parecía ser la opción más concreta para expandir la revolución. La conformación de un frente antiimperialista será el nuevo desafío del Che.

un cuestionable periodo institucional que, no por frágil y fundado sobre las bases de la proscripción del peronismo, dejaba de ser un gobierno constitucional.

El fracaso salteño de Masetti no dejó, no obstante, demasiado lugar para prolongadas lamentaciones. La rueda de la historia seguía su curso y Guevara creía oportuno volver a intentar la revolución en otros sitios.

África se abría como la nueva alternativa. Pero no solo se cambiaría el escenario. Ahora el Che, directamente, se comprometería en la nueva empresa.

8

Trascendiendo fronteras

El fracaso de la guerrilla argentina de Masetti constituyó un disparo definitivo para que el Che asumiera una vez más el rol protagónico en el mismo teatro de operaciones.

Algunos testimonios certifican que lo invadió cierto sentimiento de angustia, motivado esencialmente porque eran sus mejores amigos y militantes quienes iban quedando en el camino, convertidos en mártires de una revolución que el mismo Guevara había convocado a realizar. Con la desaparición de Masetti, parece ser que la cuestión lo sobrepasó, y ya no mostró otra disposición que la de encabezar las próximas acciones.

El Che Guevara y Jorge Masetti. En las manos de éste el Che había dejado la creación de un ejército revolucionario en la Argentina.

Por entonces, África se abrió a sus ojos como un continente potencialmente revolucionario, más allá de lo que pudiera imaginarse en virtud de su enorme atraso económico y social, por el que difícilmente se pudiera hallar en su extenso territorio una clase social que asumiera como propia las tareas revolucionarias socialistas. No obstante, África se mostraba combativa y con algunos hitos que sin duda entusiasmaron a Guevara.

De hecho, tras el triunfo de la Revolución Cubana, los lazos entre los caribeños y los revolucionarios africanos se extendieron de manera excepcional, y casi no había nación que luchara contra el colonialismo que no depositara sus expectativas en los cubanos. Así las cosas, paulatinamente, cubanos y africanos fueron estableciendo lazos de unión que muy pronto darían sus primeros resultados. Por supuesto, Argelia era la punta de lanza que, revolución contra los franceses mediante, había prendido una mecha de insospechadas dimensiones.

Además de Argelia, la República Democrática del Congo despertaba las mejores simpatías entre Guevara y sus hombres, ya que dicho país había iniciado una lucha decidida contra el colonialismo europeo. El asesinato del líder popular Patrice Lumumba, acontecido en 1961, despertó aún más el interés guevarista por el Congo,

desde entonces visto como un factible centro revolucionario que, estratégicamente ubicado en el corazón de África, podía llegar a irradiarse a todo el continente.

De hecho, el Congo tenía la enorme cualidad de limitar con otros nueve países, lo que lo convertía en un corredor de extraordinaria movilidad para los revolucionarios africanos. Desde ese punto de vista tan caro para el Che, que era el punto de vista logístico, no había mejor territorio para implantar un foco guerrillero.

Por otra parte, las conexiones entre los cubanos y los africanos venían ciertamente siendo abonadas hacía por lo menos tres años con una creciente intensidad, y el Che viajaría en varias oportunidades al continente para entrevistarse, pública y secretamente, con los principales líderes que agitaban el anticolonialismo como su principal bandera.

Guevara ya había mostrado sin ambigüedades cuánto le interesaba el Congo, cuando el 11 de diciembre de 1964, en el marco de su participación en la Asamblea General de las Naciones Unidas, pronunció uno de sus más célebres discursos. Dijo en aquella oportunidad:

> Los pueblos de África están obligados a soportar que todavía sea oficial en el continente la superioridad de una raza sobre otras y que se asesine impunemente en

nombre de esta superioridad. ¿Las Naciones Unidas no van a hacer nada para impedirlo?

Y luego señaló:

Quiero hablar muy especialmente del doloroso caso del Congo, único caso en la historia mundial que demuestra cómo se pueden atropellar los derechos del pueblo con la impunidad más absoluta y el cinismo más insolente. Las inmensas riquezas que posee el Congo y que las naciones imperialistas quieren conservar bajo su control son los motivos directos. [...] Pero la filosofía del saqueo no ha cesado; incluso es más salvaje que nunca y por eso los mismos que utilizaron el nombre de las Naciones Unidas para perpetrar el asesinato de Lumumba asesinan en nombre de la raza blanca a millares de congoleños. ¿Cómo podremos olvidar la forma en que se ha traicionado la esperanza que Patrice Lumumba depositó en las Naciones Unidas? [...] Es necesario vengar el crimen del Congo. [...] Un animal carnicero que se alimenta de los pueblos indefensos, [...] esta es la definición del “blanco” imperial.

Hombre de acción al fin, Guevara aprovechó la estadía en Nueva York para entrevistarse con Malcolm X, quien le ofreció formar una brigada de negros afroamericanos para contribuir con la liberación del Congo.

Por supuesto, es de lo más probable que los servicios secretos estadounidenses, alarmados por semejante contacto entre dos de sus grandes enemigos, hayan pergeñado el asesinato de uno y otro. Lo cierto es que al menos con Malcolm X las cosas les saldrían a la perfección apenas dos meses más tarde.

La intervención del Che en las Naciones Unidas entusiasma a los africanos; no es de extrañarse, entonces, por la cálida bienvenida que le dieron a Guevara cuando el comandante alcanzó una vez más sus tierras. Corría por entonces diciembre de 1964 y el Che prolongaría su estadía en la región hasta febrero del año siguiente. Visitaría varias naciones, entre ellas Argelia, Egipto, Malí, Congo Brazzaville, Guinea, Ghana, Dahomey y Tanzania. En el medio, llegaría también a China.

Por supuesto, en todas las naciones a las que llegó fue recibido por los presidentes y funcionarios más importantes, pero también se las arregló para entrevistarse con los dirigentes rebeldes más destacados, como Amílcar Cabral, Samora Machel, Marcelino Dos Santos, Agostinho Neto, y los congoleños Soumaliot, Kabila, Muyumba y Tchamlesso.

En febrero, en Argel, pronunciaría un discurso temerario en el que virtualmente rompía con la burocracia soviética y reafirmaba su

deseo de contribuir a la liberación de las naciones colonizadas. Dirá entonces:

> La práctica del internacionalismo proletario no solo es un deber para los pueblos que luchan por un futuro mejor, también es una necesidad ineludible.

De esto se infería que los países que habían alcanzado su liberación del yugo imperial debían comprometerse con los que aún no lo habían logrado.

> Tienen que sacar una conclusión de todo esto –dijo Guevara–: el desarrollo de los países que se comprometen en la vía de la liberación debe ser pagado por los países socialistas.

Pero el Che fue aún más lejos y calificó de "cómplices" del imperialismo a los soviéticos que, en vez de pagar ellos la falta de desarrollo de las naciones subdesarrolladas que habían emprendido un nuevo camino político, simplemente comercializaban con ellas como cualquier otra nación capitalista. De allí que marcara indignado en su discurso:

> Los países socialistas tienen el deber moral de zanjar su complicidad tácita con los países explotadores del Oeste.

Por supuesto, el discurso cayó pésimamente mal entre los rusos y sus aliados, y también entre los dirigentes del Partido Comunista cubano. El Che pareció haber elegido su rumbo a viva voz, siempre del lado de los que luchaban por su liberación y opuesto a la burocracia estalinista. De alguna manera, en aquel febrero de 1965, había quedado diseñado su nuevo proyecto. Poco tiempo después, Guevara virtualmente desapareció. ¿Qué había sucedido?

Uno de los secretos más celosamente guardados por la dirigencia política cubana constituyó, sin dudas, el paradero y las actividades del Che durante ese 1965, en el que se mantuvo completamente alejado de la función pública. Como jamás había sucedido ni volvería a suceder con dirigente alguno, un sinfín de conjeturas, abonadas por los servicios de inteligencia tanto cubanos como norteamericanos, acompañaron este silencio.

Los primeros, confundiendo y desinformando deliberadamente, para que el auténtico paradero del Che no fuera develado. Los restantes, para presionar y provocar infidencias que permitieran ubicarlo. De esta manera, según expresaban los medios más diversos, al Che se lo había visto en Colombia, Chile, Argentina, Brasil, Uruguay y Perú, donde había sido arrestado. También se lo relacionaba con la crisis

política que sacudía al Caribe, combatiendo en la República Dominicana, donde supuestamente había sido muerto y sepultado en una tumba colectiva.

No faltaron las versiones de su asesinato por directa orden de Fidel Castro, o de su internamiernto en el hospital habanero Calixto García, donde supuestamente no dejaba de elaborar planes revolucionarios para los más diversos países del mundo, bajo la influencia de lecturas trotskistas y maoístas. El enigma acerca del destino de Guevara se potenciaba aún más al enmarcarlo en sus movimientos políticos últimos.

En efecto, el Che "desaparece" el 22 de marzo de 1965, dos meses después de su última estadía en China, en plena ruptura chino-soviética, y a solo unas pocas semanas de su vigoroso discurso de Argel, durante la Conferencia Afroasiática de Solidaridad, con el lanzamiento de las acusaciones y críticas contra los rusos ya señaladas.

Lo que había sucedido tardaría años en develarse. Ese 1965 el Che lo ocuparía organizando y estableciendo su guerrilla en el Congo.

Ernesto Che Guevara en las Naciones Unidas.

LA LLEGADA DEL CHE

El 19 de abril, Guevara llegó a la ciudad de Dar es Salaam, en Tanzania, país por entonces bajo la dirección del líder anticolonialista Julius Nyerere. El Che llegaba bajo la cobertura de una cuidadosa y muy trabajada identidad falsa: su pasaporte decía Ramón Benítez y su apariencia era prolija como pocas veces en la última década; por supuesto, no había rastros de su melena y barba rala, y vestía un no muy elegante traje. Lo aguardaba el embajador cubano, Pablo Rivalta, quien entre otras tareas

debía mantener en absoluto secreto la presencia de Guevara.

La estadía en Tanzania era, claro está, pasajera; apenas lo suficiente para terminar de organizar el apoyo cubano al Comité Nacional de Liberación (CNL) del Congo. El año anterior, el CNL había logrado establecer por pocos meses una zona liberada como "República Popular del Congo" con capital en Stanleyville. Ahora, mientras se mantenía un gobierno en el exilio dirigido por Cristophe Gbenye, las fuerzas rebeldes luchaban por mantener el control sobre la región oriental, en la frontera con Tanzania y Burundi, donde se halla el lago Tanganica.

Exactamente a ese punto es al que se dirigiría el Che, con la expectativa de contribuir junto a sus hombres a ganar la batalla. Muchos compartían con él su entusiasmo, más no todos la esperanza de lograr el triunfo. De hecho, el presidente egipcio Abdel Nasser le había dicho poco tiempo antes en El Cairo:

> Usted me asombra. ¿Quiere convertirse en un nuevo Tarzán, un blanco que va a instalarse entre los negros para guiarlos y protegerlos? Y concluía terminante: Eso no saldrá bien.

No obstante, Guevara emprendió las operaciones, y el 20 de abril, junto a trece cubanos, partió hacia su nuevo objetivo: el Congo. Previamente, él y sus acompañantes cambiaron sus respectivos nombres, cada uno adoptando el que lo acompañaría durante su estadía africana, en riguroso idioma swahili. El Che desde entonces sería "Tatu", el "número uno".

Dos días más tarde alcanzarían Kigoma, un poblado sobre el lago Tanganica. Desde allí, no quedaba más que cruzar el gran lago y por fin desembarcar en Kibamba, ya en el Congo. Como cuando se incorporó a la campaña en Cuba, años atrás, una lancha de dudosa calidad transportaría sus huesos hacia el lugar donde desencadenaría una batalla a muerte.

Una vez en Kigoma, Guevara comenzó a contrastar su entusiasmo inveterado con la realidad de los combatientes congoleños y ruandeses comprometidos en la lucha. También comenzó a sopesar la calidad de la dirección combatiente de los africanos, lo que rápidamente lo decepcionó. En principio y sobre todo, a Guevara lo molestó la inclinación de los dirigentes por mantenerse en el poblado, donde el alcohol y la prostitución se derramaban con igual generosidad.

Tempranamente observó que entre los cubanos y los locales existía una enorme diferencia en cuanto a preparación militar y política se

refiere, e hizo planes para que la presencia de los caribeños significara una influencia decisiva para los africanos. Desde entonces, la "cubanización" de los congoleños constituyó su primer objetivo.

La pedagogía del ejemplo

La cubanización de los congoleños implicaba, en verdad, la realización de un característico y pionero ideal guevariano: la formación de un sujeto social revolucionario que llevara adelante sin desmayos las tareas de la revolución. Ese sujeto era, por excelencia, el guerrillero revolucionario, cuyo ejemplo contagiaría a los demás.

Guevara había elaborado trabajosamente esta idea a lo largo de su propia experiencia en la Revolución Cubana y la plasmó tanto en su libro *Pasaje de la Guerra Revolucionaria*, como en otros escritos, charlas y entrevistas. La expresión más radical de este sujeto revolucionario sería la consagración del Hombre Nuevo, cuya prefiguración era, precisamente, el guerrillero.

En una de sus habituales "descargas", como Guevara llamaba a sus inflamadas arengas diarias en el Congo, señaló a su tropa:

> Los hombres armados no son soldados, son simplemente eso, hombres armados; el soldado revolucionario debe hacerse en el combate...

Y escribirá en su diario africano una reflexión lapidaria:

> ...creo que todas las medidas deben tomarse teniendo en consideración que nadie será definitivamente aprobado hasta sufrir la última selección en el escenario de la lucha.

En términos prácticos, el guerrillero debía ser un dechado de virtudes extraordinarias, que debía surgir de una selección natural en la lucha misma. Una suerte de darwinismo revolucionario que incluso regló matemáticamente:

> ...debido a la forma de reclutamiento –escribirá Guevara en su diario congoleño– había que considerar que de los 100 hombres solamente quedarían 20 como posibles soldados y de allí solamente dos o tres como futuros cuadros dirigentes (en el sentido de ser capaces de conducir una fuerza armada al combate).

Armado física, ideológica y moralmente de esta manera, el guerrillero alcanzaba las estribaciones del Hombre Nuevo, aun sin que las relaciones sociales se hubieran transformado radicalmente. ¿Pensamiento mesiánico? Sin dudas: la utopía colectiva a lograr se basaba en la ya alcanzada en la figura del guerrillero. Aparecido el elegido, pues, restaba llevar a las masas a su

liberación. Eso le permitía, incluso, sin reparar en las condiciones políticas, sociales y culturales del lugar de operaciones, presagiar un futuro revolucionario a corto plazo, que para el Congo trazó entre tres y cinco años.

Pero en el Congo el Che tendrá que enfrentarse a un enemigo impensable, que al fin de cuentas constituía una frontera concreta a barrer con el ejemplo revolucionario. Se trataba de la *dawa*, un brebaje que los nativos consideraban mágico y que les otorgaba inmunidad ante las balas. En un principio, Guevara escuchó los relatos sobre la *dawa* con curiosidad de antropólogo, y en ocasiones no sin cierta diversión.

Pero cuando su convencido informante sobre el mágico producto fue un oficial de lo que sería el ejército revolucionario congoleño, la cosa varió radicalmente; entonces se dará una escena ciertamente singular: como si fuera un misionero en tarea de reconversión, el Che combatirá la superstición tribal con la fuerza de la "conciencia revolucionaria". Si la *dawa* protegía a los combatientes de las balas, la conciencia revolucionaria hacía lo propio frente a la descomposición burguesa, expresada en el pensamiento mágico.

Pero para Guevara el ejemplo no puede impartirse como mero conocimiento. Para que

resulte efectivo, debe darse en la misma lucha armada:

> …el soldado no se puede hacer en una academia y menos el soldado revolucionario. [...] Este se hace en la guerra [...] por su reacción frente a los disparos enemigos, al sufrimiento, a la derrota, al acoso continuo, a las situaciones adversas.

Es en este marco, pues, que el campesino se hace recluta, el recluta soldado y este, finalmente, soldado revolucionario. La guerra lo instruye, templa y transforma. En definitiva, reconvierte su subjetividad de oprimido en subjetividad revolucionaria. Resulta imposible no relacionar esta fórmula con la de Frantz Fanon y la liberación del colonizado a partir de su enfrentamiento con el colonizador, aquello que Sartre canonizó como doble liberación devenida del ejercicio fusilador de los argelinos frente a los franceses:

> *...matar a un europeo* –escribe Sastre– *es matar dos pájaros de un tiro, suprimir a la vez a un opresor y a un oprimido: quedan un hombre muerto y un hombre libre.*

La fórmula de la subjetividad revolucionaria es el sacrificio, y el vehículo, el contagio y el ejemplo. La guerra misma es el catalizador. De ahí que el Che buscara la "cubanización" de los congoleños en la experiencia de combinar guerrilleros experimentados con novatos en los frentes de batalla.

Ahora bien: si el ejemplo basta, simplemente hay que empezar a predicar. Así las cosas, esta urgencia presupone una sobrestimación del ejemplo como pedagogía; la falta de preparación y organización serán, en todo caso, males graves, pero menores en comparación a la pasividad. De hecho, Guevara reconocía que toda la campaña del Congo estaba mal preparada, inclusive desde los propios cubanos, pero la urgencia de la acción ejemplificadora resultaba prioritaria.

El desarrollo de la guerrilla

En mayo, los catorce cubanos, incluido el Che, recibieron a un segundo contingente de dieciocho cubanos más. Entre los recién llegados estaba Osmany Cienfuegos, quien portaba para Guevara la peor de las noticias: Celia, su madre, había muerto.

Posteriormente se fueron sumando pequeños pero numerosos contingentes de combatien-

tes que, enviados desde la isla, terminaron conformando una nutrida tropa de poco más de 120 hombres.

Las complicaciones, empero, se fueron sumando. Si los soldados congoleños y ruandeses poco sabían de las artes del combatir y aún menos de la disciplina, sus jefes locales no parecían los más apropiados para sacarlos de los vicios que dominaban la situación.

En ese marco, para Guevara se hizo prioritario iniciar las acciones militares, las únicas que, como queda dicho, podían en la perspectiva del Che poner las cosas en su lugar.

Para colmo de males, los jefes congoleños no solían estar presentes, salvo excepciones, en el teatro de operaciones, por lo que Guevara debía destinar más o menos de manera permanente a emisarios que fueran al encuentro de aquellos, pidiéndoles que se hicieran presentes o dieran órdenes claras acerca de algún plan operativo que marcara, por fin, la iniciativa rebelde.

Las cosas comenzaron a andar mejor con la llegada de uno de aquellos jefes, Mitoudidi, el único al que el Che le tenía cierta confianza. Mitoudidi no perdió el tiempo y ordenó cuestiones que fueron recibidas de buen grado por Guevara, como la prohibición del alcohol y la caprichosa distribución de armas y municiones. Pero todo volvió a ser como antes cuando

Mitoudidi cayó desde una lancha en el lago y se hundió en sus aguas.

El Che escribiría en su diario congoleño con una completa desesperanza:

> Así, estúpidamente, se murió el hombre que había empezado a poner orden en el terrible caos que era la base de Kibamba. [...] La única persona que tenía autoridad ha desaparecido en el lago.

Para junio, hastiado de los inconvenientes con las tropas y los jefes locales, al Che empezaba a acosarlo un nuevo problema: la desmoralización que, paulatinamente, comenzaba a dominar a algunos de los cubanos. Más que nunca necesitaba que la tropa combatiera, y para ello pensó en una acción de envergadura contra Front de Force, zona en la que se hallaba destinado especialmente un grupo de soldados ruandeses y una mínima cantidad de congoleños.

El 23, un grupo de cubanos fortaleció a los ruandeses y se aprestaron para iniciar en unos pocos días el ansiado ataque que, finalmente, comenzó el día 29. El objetivo: una pequeña central custodiada por el ejército regular del Congo y algunos mercenarios contratados, el aeropuerto y unas pocas posiciones fortificadas.

Los rebeldes, por su parte, decidieron no solo rodear y atacar por diferentes puntos, sino

El Che y otros guerrilleros en el campamento del Congo.

tender varias emboscadas para el repliegue propio o para evitar que llegaran refuerzos enemigos por las rutas de acceso. Si todo parecía bien planeado, la realidad se encargaría de demostrar lo opuesto.

Efectivamente, el ataque resultó un palmario fracaso, con muchas bajas entre las fuerzas rebeldes merced a la resistencia de los atacados y su mayor poder de fuego, incluida una importante artillería que no tardó en diezmar a los rebeldes, sobre todo los ruandeses, espantados en su falta de práctica y experiencia guerrera.

Paralelamente, otra tropa de cubanos y congoleños chocaba contra la resistencia oficial

en el cuartel de Katenga, por lo que la jornada se presentó doblemente fracasada. El Che hizo una evaluación dolorosa:

> De los ciento sesenta hombres, sesenta abandonaron antes de que comenzasen las operaciones y lo que es más, no dispararon ni una sola vez. A la hora convenida, los congoleños hacen fuego contra el cuartel, pero disparan casi todo el tiempo al aire ya que la mayoría de ellos aprietan el gatillo [...] cerrando los ojos. Al principio la derrota se achaca a la ineficacia del brujo por haberles administrado un mal dawa. [...] Este doble fracaso siembra un gran desaliento entre los congoleños y ruandeses. Incluso abate a los cubanos.

Como si fuera poco, las diferencias entre los cubanos y los locales eran cada vez mayores, pero también entre los congoleños y los ruandeses, lo que hacía que la tropa fuera cada vez más minada por el desaliento.

Ell 7 de julio llega el líder Kabila al cuartel central rebelde en Kibamba para conversar con Guevara, quien necesitaba del permiso formal de aquel para poder sumarse a los hombres de la vanguardia. Kabila ya se había mostrado como un sujeto poco confiable para el Che, y en los días en que se entrevistaron la impresión de Guevara terminó de certificarse.

Al cabo de unos días, Kabila volvió a marcharse con la promesa de regresar muy pronto, pero Guevara no creyó demasiado en sus palabras. De todos modos, había obtenido lo que tanto esperaba, es decir, un guiño para actuar con la mayor de las prudencias, pero actuar al fin en los combates mismos.

El 23 de julio Guevara tuvo la oportunidad de comprobar, una vez más, el nivel de desorganización y falta de moral combativa que animaba a las tropas rebeldes. Todo sucedió después de una exitosa emboscada realizada por un grupo de cincuenta cubanos y ruandeses en la carretera de Front de Force, en la que cayeron varios camiones del ejército congoleño. Todo resultó de maravillas, pero como los camiones transportaban cajas de botellas de cerveza y whisky, la mayor parte de los combatientes africanos terminaron, en cuestión de horas, borrachos, mientras los cubanos, impedidos de beber alcohol, los miraban en la mayor perplejidad. No fue aquella la única zozobra de los ruandeses.

Ya de regreso, en un confuso episodio en buena parte motivado por la borrachera de uno de los africanos, un campesino terminó muerto de un tiro, acusado aparentemente sin ninguna razón de ser un espía.

La situación reinante obligó a Guevara a replantearse algunas cuestiones centrales. De

hecho, escribirá en su diario tras la emboscada relatada:

> Esta primera victoria habría podido reducir un poco la amargura que nos dejaron las primeras operaciones. Pero hay tantas cosas por hacer que estoy empezando a revisar mis previsiones; cinco años para llevar a término la revolución congoleña es una previsión muy optimista: hay que contar con el desarrollo de estos grupos armados antes de poder considerarlos un ejército de liberación digno de este nombre y, a menos que las cosas cambien en el ámbito de la dirección de la guerra, esto parece cada vez más lejano.

No se equivocaba. El tramo siguiente sería igualmente pleno de desorganización y una moral cada vez más baja, con el aditamento de que los cubanos paulatinamente se contagiaban de los locales y lo contrario se parecía a un objetivo cada vez menos probable. Por otra parte, la dirección de los diferentes grupos rebeldes del Congo mostraba entre sí un sinfín de diferencias que parecían, en el cruce de acusaciones y dudosas actitudes, de difícil recomposición.

En ese marco, a fines de septiembre, el ejército regular del Congo decidió una contraofensiva que daría por tierra con cualquier proyecto revolucionario plausible.

Para el 30, fuerzas oficiales apoyadas por mercenarios tomaron Baraka y, quince días más tarde, Fici. En las siguientes semanas todas las poblaciones en manos rebeldes fueron cayendo una a una.

La derrota era en toda la línea. En todos los meses anteriores, Guevara no solo se había visto impedido de levantar una fuerza rebelde organizada y combativa, sino que sus hombres también habían caído en la mayor desesperanza y cierto relajamiento sobrevolaba a los revolucionarios. La campaña africana parecía un fracaso inobjetable.

EL PRIMER REVÉS: EL POLÍTICO

No es extraño que en su diario africano enfatizara:

> Tal era nuestra labor de sembradores al voleo, lanzando semillas con desesperación a uno y otro lado, tratando de que alguna germinara antes del arribo de la mala época.

Y más adelante concluiría con fatalismo:

> Nuestro empeño estuvo encaminado al fin de descubrirlos entre la hojarasca, pero el tiempo nos ganó la partida.

No obstante sus esfuerzos, el Che no cosechará ningún éxito. Por el contrario, atrapado en la pedagogía del ejemplo, la respuesta que recibirá será por demás desalentadora. La esperanza de cubanizar a los africanos se manifiesta en su flagrante oposición: la congolización de aquellos, y la empresa hace aguas.

En este marco, el Che apelará a extremar aún más su teoría. En su perspectiva, el déficit se hallaba en la calidad insuficiente de los reclutas, en la baja moral producto de la falta de auténticos jefes en los frentes y en la relajada moral de los propios revolucionarios cubanos que, desalentados por el panorama, decayeron en su revolucionarismo. De hecho, varios cubanos solicitaron su baja y regresar a la isla, lo que para el Che resultó doblemente doloroso e inaceptable.

Guevara apostaba a una seria mixtura de disciplina, autoridad y ejemplo: los cubanos debían ser los más audaces y solidarios de las columnas, y, a la vez, no tener ninguna diferenciación en cuanto a los abastecimientos y tareas cotidianas.

> Para ello es necesario, en primer lugar, esforzarse por ejercer un auténtico compañerismo revolucionario de base. [...] Tenemos en general más ropa y más comida que los compañeros de aquí; hay que compartirla al máximo. [...] el afán de enseñar debe primar en

> nosotros, pero no de una manera pedante. [...] La modestia revolucionaria debe dirigir nuestro trabajo político y debe ser una de nuestras armas fundamentales, complementada por un espíritu de sacrificio que no solo sea ejemplo para los compañeros congoleses, sino también para los más débiles de nosotros.

Guevara intentará poner orden a la deshilachada tropa, pero encerrado en un paradójico y fatal entramado: si los reclutas no son buenos, la experiencia en el combate será desastrosa, aunque solo la experiencia misma es quien puede rescatarlos. Sin embargo, la acumulación de fracasos, tanto organizativos como militares, lo llevarán a mudar en unos pocos meses esta idea y su opción será otra:

> Se había resuelto entonces formar un núcleo de ejército mejor abastecido de equipos y mejor comido que el resto de la tropa congolesa; estaría directamente bajo mi mando, sería la escuela práctica convertida en núcleo de ejército... [y luego] El proceso de incorporación debe ser gradual, a partir de un grupo pequeño pero acerado, para poder realizar la selección inmediata de los nuevos combatientes, expulsando a todo el que no cumpla las condiciones exigidas. Debe seguirse, por lo tanto, una política de cuadros.

La diferencia entre una y otra posición no es un mero detalle y en verdad guarda algo más que diversas opciones logísticas u operativas, para revelar un cambio político estratégico que, de alguna manera, involucra también un cambio formal en la concepción de cómo hacer una revolución.

El Che pasa, pues, de incorporarse a un ejército de liberación a formar una guerrilla de cuadros. Poco después, las derrotas lo acercan a una conclusión que por primera vez rompía la lógica del ejemplo, para asentarse en la del análisis político, social y cultural de la empresa.

En el epílogo de su diario africano, el Che realiza una suerte de balance global de la experiencia, reconociendo implícitamente que sus soportes conocidos –voluntad, ejemplo– no son estrategias suficientes ante una sociedad que, en su particularidad, plantea incógnitas aún no debidamente resueltas:

> ¿Qué podía ofrecer el Ejército de Liberación a ese campesinado? –señala el Che–. Es la pregunta que siempre nos inquietó. No podíamos hablar aquí de reforma agraria, de propiedad sobre la tierra porque esta estaba allí, a la vista de todos; no podíamos hablar de créditos para entregar útiles de labranza, porque los campesinos comían de lo que labraban con sus instrumentos primitivos y las condiciones físicas de la región no se prestan tampoco a ello... ¿Qué ofrecer?...

> Creo que exige una labor de investigación de pensamiento más profundo este problema de táctica revolucionaria que plantea la no existencia de relaciones de producción que hagan del campesino un hambriento de tierra.

Para el Che, pues, se imponía una nueva revelación: el África atrasada y atravesada por tribus cuya economía distaba de las sociedades que le eran más conocidas, exigía tiempos de desarrollo que no podían ser impuestos por comando alguno. Y, arriesgando una posible salida al interrogante congoleño, él subraya:

> El impacto de las ideas socialistas debe llegar a las grandes masas de los países africanos, no como un transplante, sino como una adaptación a las nuevas condiciones y ofreciendo una imagen concreta de mejoras sustanciales que puedan ser, sino palpadas, imaginadas claramente por los habitantes. Para todo ello –concluye el Che– sería ideal la organización de un partido de bases realmente nacionales, con prestigio en las masas, un partido con cuadros sólidos y desarrollados; ese partido no existe en el Congo.

En su reflexión inmediata al fracaso congoleño, Guevara contrapondrá al África colonial la realidad de una América latina donde la lucha se ha encarado con un claro sentido popular y

El Che dando clases de francés, matemáticas y política a los guerrilleros en el Congo.

antiimperialista, y, en última instancia, socialista. De alguna manera, su fracaso en África ya le augura nuevo destino.

Finalmente, Guevara se pregunta cuál debe ser el rol de los revolucionarios internacionalistas en el Congo actual; no duda en la colaboración con armas, cuadros, entrenamiento e, incluso, ayuda financiera:

> Pero tenemos que cambiar uno de los conceptos que ha guiado nuestra estrategia revolucionaria hasta hoy: se habla de ayuda incondicional y eso es una equivocación. Cuando se ayuda se toma una posición, y esa posición se toma en base a determinados análisis sobre la lealtad y la efectividad de un movimiento revolucio-

> nario en la lucha contra el imperialismo [...] para asegurar ese análisis debemos conocer y, para ello, intervenir más dentro de los movimientos.

UN FINAL ANUNCIADO

Para octubre de 1965, la campaña cubana en el Congo, con el Che a la cabeza, hacía aguas por varios lados. Los fracasos militares rebeldes se sumaron al ya sostenido fracaso organizativo de una vanguardia a la cubana. El enemigo, por supuesto, conocía las debilidades de los revolucionarios, y ateniéndose a ellas pergeñó una ofensiva en toda la línea.

De hecho, la guerrilla se hallaba cercada y sin muestras de reacción. Así las cosas, para noviembre, una retirada ordenada parecía la propuesta más sensata y recomendable. El propio Guevara escribió en su diario congoleño:

> Mi tropa es un conglomerado heterogéneo. Según mis cálculos podría conseguir hasta veinte hombres que me siguieran aunque, en adelante, sin entusiasmo. ¿Y qué haría después? Todos los jefes se retiran, los campesinos cada vez nos demuestran más hostilidad.

Y aunque subrayara una y otra vez el profundo dolor que le causaba la retirada, la decisión era, evidentemente, la única que le dejaba la realidad concreta.

Hasta último momento aguardó un socorro de fuerzas, intentó convencer a los suyos de la posibilidad de recuperar terreno con tiempo, si lo acompañaban algunos pocos combatientes... pero todo fue inútil. La guerrilla se batía en un repliegue sin gloria alguna. Para el 21 de noviembre, finalmente los cubanos embarcaron rumbo a Kigoma. Era el peor de los telones.

Las perspectivas que se abrían para el Che eran difíciles al extremo. No solo cargaba con la mochila de la derrota de uno de sus planes más importantes, y con él al mando de las operaciones, sino que su relación con la dirección cubana, hasta entonces deteriorada al menos con parte de ella, ahora se encontraba prácticamente cortada hasta con el propio Fidel, quien siempre se había mostrado particularmente complaciente con su viejo compañero de la Sierra.

Efectivamente, una ruptura se había producido y no tenía retorno. Así, el 24 de octubre, en las postrimerías mismas del fracaso guevariano en África, Fidel Castro hizo pública la carta de despedida que el Che le había escrito poco antes de embarcarse en su nueva misión. Entre otras cosas, Guevara decía en su misiva:

Siento que he cumplido esa parte de mi deber que me ataba a la revolución cubana en su territorio y te digo adiós a ti, a los camaradas, a tu pueblo que ahora es el mío.

Renuncio formalmente a mis puestos en la dirección del partido, mi puesto de ministro, mi grado de comandante y mi ciudadanía cubana. Nada legal me ata a Cuba.

Y más adelante:

Otras naciones del mundo requieren el concurso de mis modestos esfuerzos. Puedo hacer lo que a ti se te niega debido a tu responsabilidad a la cabeza de Cuba, y ha llegado el momento de separarnos. Quiero que se sepa que lo hago con una mezcla de alegría y pesar. Dejo aquí lo más puro de mis esperanzas como constructor y a lo más querido de mis seres queridos. Y dejo un pueblo que me recibió como un hijo. Eso lastima una parte de mi espíritu. Llevo conmigo a nuevos campos de batalla la fe que me enseñaste, el espíritu revolucionario de mi pueblo, la sensación de cumplir el más sacrosanto de los deberes: combatir al imperialismo dondequiera que uno esté. Esto reconforta y sana con creces las heridas más profundas.

Finalmente, el Che suscribió:

> Declaro una vez más que libero a Cuba de toda responsabilidad salvo la que emana de su ejemplo. Si la hora final me encuentra bajo otros cielos, mi último pensamiento será para el pueblo y en especial para ti ... Firmaba con su inveterado: ¡Hasta la victoria siempre! ¡Patria o muerte!

La difusión de la carta afectó hondamente al Che. Algunos testimonios refieren que su enojo con Fidel fue infinito, porque al haberla hecho pública le impedía, de hecho, cualquier regreso a la isla para reinsertarse en algún rol directivo, lo que bien puede pensarse casi como un virtual despido que los soviéticos deben haber visto con el mayor de los agrados. Semejante manipulación lo indujo a una profunda consternación, y se encargó de reflejarla en su diario del Congo:

> Esta (carta) provocó el que los compañeros vean en mí, como hace muchos años, cuando empecé en la sierra, un extranjero en contacto con cubanos.

Y luego:

> La carta que provocó tantos comentarios elogiosos en Cuba y fuera de ella, me separó de los combatientes.

UNA OBLIGADA TRANSICIÓN

La experiencia africana del Che prefigura su destino inmediato. Con serias oposiciones en el seno de la dirigencia cubana, y con su renuncia leída por Fidel a todo el mundo, el regreso a Cuba se hacía poco menos que imposible. Al mismo tiempo, el Che mantenía su convicción de que la internacionalización de la revolución constituía la mejor defensa que podía tener la isla frente a las sostenidas amenazas que la cercaban. África, en su tribalismo, pedía tiempos que el Che no tenía. América latina volvía, una vez más, a presentar el campo de cultivo apropiado.

Sus pasos siguientes fueron dolorosos y de una tensa espera. Cuatro meses los pasaría encerrado en la embajada de Cuba en Dar es Salaam, dedicándose casi exclusivamente a repasar sus notas africanas y corrigiéndolas bajo el título de *Pasajes de la guerra revolucionaria: Congo*.

Luego viajó a Praga, donde se establecería por un periodo similar, y donde posiblemente analizó una y otra vez la posibilidad de iniciar en América latina una nueva empresa revolucionaria. También de este periodo datan sus notas críticas sobre la economía soviética.

El 21 de julio de 1966 Guevara volvió a pisar tierra cubana, tras un regreso clandestino

El Che junto su esposa, luego de someterese al cambio de apariencia para despistar a sus enemigos y poder viajar de forma clandestina a Bolivia.

que, por otra parte, ya tenía fecha de vencimiento. En efecto, todo se estaba preparando para su última salida y campaña. Bolivia lo esperaba y hacia allí viajaría el 2 de noviembre. Comenzaba a escribirse el último tramo de su vida.

9

El último acto: Bolivia

La campaña fracasada en el Congo dejó a Guevara ante la encrucijada de cuál sería su próximo destino. En verdad, la respuesta se fue perfilando en el Congo mismo, a medida que el atraso de la sociedad africana le permitió al Che vislumbrar que allí no podría desarrollase una revolución socialista en un tiempo más o menos breve. América latina, con su proletariado y campesinado combativos constituía, en cambio, un escenario más alentador.

En este contexto, Bolivia se presentaba, una vez más, como la opción ideal, cimentada en varios factores. Por un lado, al igual que el Congo, en el aspecto logístico daba cuenta de una

SEÑAS PERSONALES
SIGNALEMENT

Profesión / Profession: Comerciante
Lugar y fecha del nacimiento / Lieu et date de naisance: Montevideo 25-junio-1920
Estado Civil / Etat Civil: casado
Color de los ojos / Couleur des yeux: castaño
Color del cabello / Couleur des cheveux: castaño
Señas particulares / Signes particuliers: —

HIJOS — ENFANTS
Nombre / Nom — Edad / Age — Sexo / Sèxe

IMPRESION DIGITO PULGAR
FOTOGRAFIA DEL PORTADOR
MINISTERIO DE RELACIONES EXTERIORES SECCION PASAPORTES
FIRMA DEL PORTADOR / SIGNATURE DU TITULAIRE
Y DE SU ESPOSA / ET DE SA FEMME
IMPRESION

El pasaporte falso con el que Ernesto Guevara entró a Bolivia.

multiplicidad de fronteras limítrofes con varias naciones. De igual manera, contaba con serranías y una tupida selva que en sí mismas formaban el tan preciado santuario de seguridad que las campañas guerrilleras tanto precisaban para su supervivencia. Además, Bolivia contaba con un proletariado minero sumamente combativo y afecto al uso de los cartuchos de dinamita y la autodefensa, es decir, de un alto umbral de violencia política que se sumaba, como si fuera poco, a la herencia de haber defenestrado casi hasta su disolución total a un ejército burgués, durante la pasada revolución nacionalista y popular de los primeros años cincuenta.

Aunque la guerrilla no contaría en lo inmediato con fuerzas propias provenientes de los socavones, no hay duda de que la combatividad probada sobradamente por los mineros colocaba a toda la nación siempre a los bordes mismos de situaciones altamente revolucionarias.

Así las cosas, en los inicios de 1966, Bolivia, conducida por el dictador y general René Barrientos, presentaba una serie de condiciones que la hacían completamente apta para un intento serio de implantación guerrillera. Por otra parte, como cuando la campaña de Masetti en la Argentina, Guevara sabía que podía contar con varios cuadros del Partido Comunista y la Federación Juvenil Comunista de Bolivia, fuese ya como combatientes o para preparar la logística necesaria.

Que Bolivia era un espacio pensado con buena anticipación, quizás a la espera de una maduración de las condiciones, lo testimonia también el hecho de que, en 1964, Tamara Bunke, más conocida como Tania, ya había sido enviada por orden del propio Guevara a La Paz, con la inequívoca misión de comenzar a conformar una red de espionaje y logística para apoyar a un futuro foco guerrillero.

No era la única que se había puesto en marcha. En La Habana, un grupo de militantes argentinos comenzarían en lo inmediato a prepa-

rarse militarmente, a sabiendas de que lo que les esperaba era su incorporación a un Ejército de Liberación Nacional que el propio Guevara comandaría. Finalmente, también Ciro Bustos, uno de los que se habían encargado de la logística e inteligencia del EGP de Masetti, fue convocado por el Che para que se pusiera de inmediato a trabajar en el nuevo foco en Bolivia.

Serían además de la partida preparatoria algunos de los principales colaboradores de Guevara, como Harry Villegas (Pombo), Carlos Coello (Tuma) y José María Martínez Tamayo (Papi), quienes mantenían diversos contactos en el país andino.

Por supuesto, el Partido Comunista local no podía estar a un lado de los planes guevarianos, pero el Che estaba muy lejos de querer darle un protagonismo de pares a sus dirigentes. Antes bien, la relación entre el PCB y el Che sería de una tensión poco disimulada y llevaría a uno y a otro a una discordia rayana con la ruptura.

En efecto, el PCB, dirigido entonces por Mario Monje, se oponía de plano al inmediato desencadenamiento de un foco guerrillero y, mucho más aún, dirigido por un comandante extranjero y no un local. Pero la gran confrontación entre los dos dirigentes tardaría aún un poco más en definirse. Por lo pronto, resguardado tras la identidad de un economista uruguayo de

nombre Adolfo Mena González, el Che llegó a Bolivia el 3 de noviembre de 1966. Atrás había quedado la derrota en el Congo, los meses de reflexión en Tanzania y Praga y, finalmente, el breve regreso a Cuba, para despedirse, esta vez para siempre, de su familia y de Fidel.

Desde Bolivia, trataría de dar curso a aquello que escribiera en su carta de renuncia, cuando la aventura africana. Aquello de realizar lo que a Castro, como hombre de Estado, le era vedado, es decir, volver a las montañas y selvas para revolucionar un continente que ya lo había adoptado como esperanza.

El principio del fin

El 7 de noviembre de ese 1966 iniciaba su diario boliviano, en el que escribió esperanzadoramente: "Hoy comienza una nueva etapa".

En lo inmediato, el Che se instaló con veinticuatro hombres en una finca que, en una zona prácticamente deshabitada, había sido comprada por el propio Monje. Solo nueve de sus compañeros eran bolivianos, y una buena parte cubanos.

El terreno en el que se hallaba la finca, en el sudeste de Bolivia, estaba atravesado por el río Ñancahuazú, tributario estacional del río Gran-

de. Allí el grupo adoptó la denominación de Ejército de Liberación Nacional (ELN), y se aprestó a afianzar su organización sobre el terreno.

Poco tiempo después, más específicamente el último día de aquel año de 1966, llegó al campamento de Ñancahuazú el Secretario General del PCB, Mario Monje, para entrevistarse con Guevara y, si acaso pudiera ser posible, establecer una estrategia común. Claro que para el Che no era esa una prioridad en términos políticos, y cuando el propio Monje pidió para sí la responsabilidad de dirigir al grupo, Guevara encontró la presión necesaria para rechazarlo de plano. Entre debates, alaridos, insultos e ironías, la entrevista culminó en un absoluto fracaso. El propio Guevara retrató la entrevista en su diario:

> La conversación con Monje se inició con generalidades, pero pronto cayó en su planteamiento fundamental resumido en tres condiciones básicas: 1) Él renunciaría a la dirección del partido, pero lograría de este al menos la neutralidad y se extraerían cuadros para la lucha. 2) La dirección político-militar de la lucha le correspondería a él mientras la revolución tuviera un ámbito boliviano. 3) Él manejaría las relaciones con otros partidos sudamericanos, tratando de llevarlos a la posición de apoyo a los movimientos de liberación (puso como ejemplo a Douglas Bravo). Le contesté

que el primer punto quedaba a su criterio, como secretario del partido, aunque yo consideraba un tremendo error su posición. Era vacilante y acomodaticia y preservaba el nombre histórico de quienes debían ser condenados por su posición claudicante. El tiempo me daría la razón. Sobre el tercer punto no tenía inconveniente en que tratara de hacer eso, pero estaba condenado al fracaso. [...] Sobre el segundo punto no podía aceptarlo de ninguna manera. El jefe militar sería yo y no aceptaba ambigüedades en esto...

Al día siguiente, Monje se retiró del campamento con la ruptura bajo el brazo. Desde entonces, el PCB se opondría al desencadenamiento inmediato de una acción guerrillera ofensiva. Así las cosas, Monje autorizó a solo cuatro militantes del partido a integrarse al foco. Ellos eran el "Loro" Vázquez Viaña, Rodolfo Saldaña, Méndez Korne (el "Ñato") y, finalmente, Coco Peredo. Al tiempo, un nuevo refuerzo alentó aún más a la entusiasmada tropa guevariana: Moisés Guevara y su pequeño puñado de pro maoístas, disidentes del PCB, se incorporaron a la guerrilla.

El 1 de febrero de 1967 Guevara y buena parte del grupo guerrillero inició su peregrinar boliviano, intentando realizar movimientos de reconocimiento, entrenamiento y logística. La misión le llevaría casi 45 días, tiempo suficiente

Mario Monje vive actualmente en Rusia.
Inmediatamante después de que se publicara el diario del Che, huyó temeroso de ser aeliminado.

que el gobierno y las fuerzas de seguridad bolivianas empeñaron en iniciar una contraofensiva militar y de inteligencia con la idea de anular rápidamente al foco guerrillero.

¿Sabían las autoridades locales que el Che comandaba las operaciones insurgentes? Ya casi nada hace pensar que la inteligencia boliviana desconocía el papel que desempeñaba Guevara, y hay demasiada evidencia de que su presencia no era ignorada en las más altas autoridades locales.

De hecho, en la primera quincena de marzo, dos hombres de Moisés Guevara –Vicente Rocabado y Pastor Barrera– habían abandonado la concentración y, tras ser detenidos, señalaron la presencia del Che. No resulta extraño, pues, que la dictadura boliviana se aprestara tan rápidamente a solicitar la ayuda de la CIA norteamericana y los servicios de seguridad vecinos.

También para entonces las columnas guerrilleras se incrementaban con la presencia de Tania, Régis Debray, Ciro Bustos y el peruano Juan Pablo Chang-Navarro.

Todos volverían a partir casi inmediatamente con la intención de abrir nuevos grupos que descomprimieran la inminente ofensiva gubernamental contra el foco principal. Solo Tania se mantuvo en el campamento, puesto

que su vida corría peligro al ser detectada su adhesión a la guerrilla.

La situación personal del Che, por otra parte, también habría de conocer complicaciones severas, sobre todo a partir de agudos ataques de asma que no dejaron de presentársele en todo momento.

Para marzo, la situación de la columna guerrillera se complicó por completo, y conoció su "bautismo de muerte", como señaló el propio Che en su diario, cuando el combatiente Benjamín, que se había retrasado por el cansancio y problemas con su mochila, fue tragado por las aguas del río Grande.

A la vez, en ese mismo marzo se iba a iniciar las primeras escaramuzas y combates abiertos con el ejército boliviano. De hecho, el 23 de marzo, el ELN tomó una unidad militar y causó siete bajas y veintiún prisioneros al ejército, que en los días siguientes se ocupó de ceñir el cerco y hostilizar a la guerrilla con bombardeos aéreos.

El cerco obligó a la guerrilla a un repliegue táctico y a una incesante caminata por la zona, y también a la división de la columna en dos, una de ellas comandada por Juan Vitalio Acuña Núñez (Joaquín).

A partir de aquí, las columnas divididas no dejarían de sufrir el acoso del ejército y bajas en

combates aislados, como el del 10 de abril que se cobró la vida del cubano Jesús Suárez Gayol, el "Rubio". Poco después sería herido y capturado Jorge Vázquez Viaña (Loro), quien sería arrojado vivo desde un helicóptero. El próximo será Eliseo Reyes (Rolando), un antiguo combatiente de la época de la Sierra Maestra.

Para la tercera semana de abril, la guerrilla sufriría nuevas bajas, esta vez con la detención de Régis Debray y Ciro Bustos cuando intentaban dejar la zona. Poco después, la situación de los guerrilleros era sumamente complicada, ya que las fuerzas de seguridad bolivianas, asesoradas por la de los Estados Unidos, habían bloqueado la escapatoria de los insurgentes hacia el río Grande.

El Che Guevara escribió en su diario:

> ...el aislamiento sigue siendo total; las enfermedades han minado la salud de algunos compañeros, obligándonos a dividir fuerzas, lo que nos ha quitado mucha efectividad; todavía no hemos podido hacer contacto con Joaquín; la base campesina sigue sin desarrollarse; aunque parece que mediante el terror planificado, lograremos la neutralidad de los más; el apoyo vendrá después. No se ha producido una sola incorporación.

El mes siguiente no se presentaría mucho más alentador, aunque por el momento la guerrilla pudo sortear el cerco oficial. Pero en junio y julio el ELN perdió otros siete combatientes: Casildo Condoris Vargas (Víctor), Antonio Sánchez Díaz Pinares (Marcos), Carlos Coello (Tuma), Julio Velazco Montaño (Pepe), Serapio Aquino Tudela (Serapio), Raúl Quispaya Choque (Raúl) y José María Martínez Tamayo (Papi). La muerte de Tuma será especialmente amarga para el Che:

> Con él se me fue un compañero inseparable –escribe en su diario– de todos los últimos años, de una fidelidad a toda prueba y cuya ausencia siento desde ahora casi como la de un hijo.

La guerrilla sufría pérdidas valiosas y no prosperaba ni en el terreno ni en lo político. Los pocos éxitos militares eran escaramuzas episódicas y algunas detenciones, como la de un teniente de carabineros y un soldado que, como sería costumbre en las guerrillas cubanas, eran puestos en libertad una vez que se les hubiera extraído cualquier elemento que pudiera ser de utilidad.

El Che escribiría que una mala interpretación de esto último hizo que los dos detenidos fueran devueltos simplemente en calzoncillos.

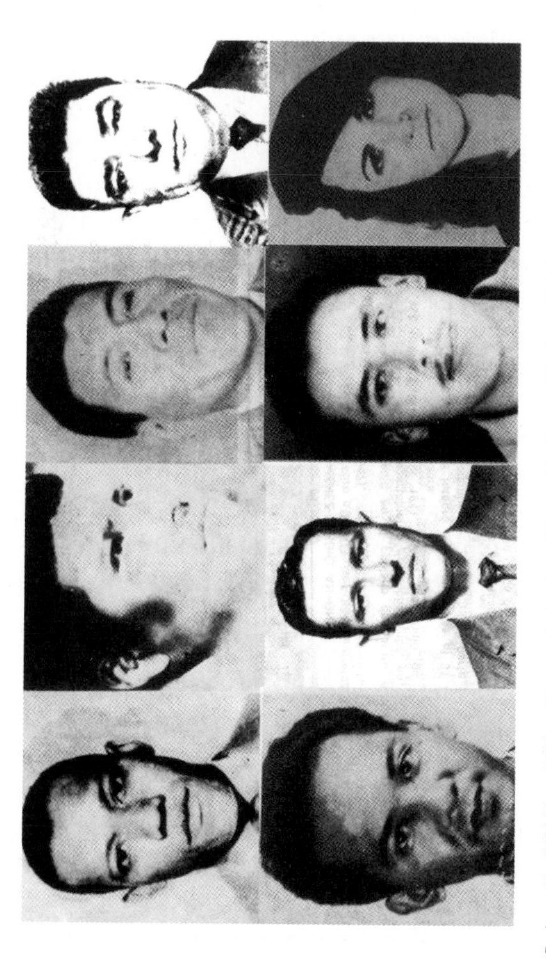

Juan V. Acuña Núñez Vilo (Joaquín), Apolinar Quispe (Polo), Walter Ayala (Walter), Moisés G. Rodríguez (Moisés), Gustavo Machin (Alejandro), Frady Maynura Hurtado (Médico), Israel Zayas (Braulio), Tamara Bunke Bider (Tania). La tropa del Che.

Para fin de julio, anotaría en su diario a manera de balance:

> Somos 22, entre ellos dos heridos, Pacho y Pombo... y yo, con el asma a todo vapor.

El 1 de agosto llegaron a La Paz dos nuevos agentes de la CIA para sumarse a la caza del Che: los cubano-norteamericanos Gustavo Villoldo y Félix Rodríguez. Dos semanas más tarde, cayó el campamento de Ñancahuazú, y a fin de mes el ejército emboscó a la columna de Joaquín en "Vado del Yeso", mientras intentaban cruzar el río.

La emboscada sería fatal para los rebeldes que cayeron bajo el fuego cruzado: resultaron muertos Juan Vitalio Acuña Núñez Vilo (Joaquín), Haidee Tamara Bunke Bider (Tania), Apolinar Aquino Quispe (Polo), Walter Arencibia Ayala (Walter), Moisés Guevara Rodríguez (Moisés), Gustavo Machin Hoed de Beche (Alejandro), Frady Maynura Hurtado (Médico) e Israel Reyes Zayas (Braulio).

Como si se tratara de trofeos de competición, los militares expusieron los cadáveres a manera de ejemplificación. Más tarde serán enterrados clandestinamente.

Para entonces el grupo principal se hallaba completamente aislado y el Che afectado grave-

mente por el asma y sin medicamentos. El grupo abandonó entonces la zona del río Ñancahuazú para escalar los altos cordones montañosos ubicados al oeste y dirigirse hacia la zona de La Higuera. Guevara no podía saber que se dirigían directamente a lo que será su última morada.

Mientras tanto, en Camiri, el 17 de setiembre comenzaba el juicio contra el francés Debray y el argentino Bustos, juicio que se convertiría en una auténtica ofensiva política contra el castrismo en general y la guerrilla en particular. La justicia se mostraría eficazmente veloz y ambos prisioneros serán condenados a treinta años de prisión.

Debray saldría en lo inmediato con la honra más o menos a salvo, aunque al momento de su detención el propio Guevara sostuvo juicios muy duros y críticos por su comportamiento. Ciro Bustos, entretanto, sufrirá la acusación guevarista de traición y de entrega por haber realizado varios dibujos, en su calidad de pintor, con los rostros de los miembros de la guerrilla.

En verdad, sobre Bustos cayó la maldición de haber declarado sobre la participación del Che en la guerrilla, pero como chivo expiatorio de los auténticos horrores de inteligencia cometidos durante la experiencia tanto por la inteligencia cubana como por las propias columnas del Che.

Desde entonces Bustos mantendría una actitud de silencio y completo ostracismo, de una dignidad enormemente mayor que la de tantos que lo acusaron.

Para mediados de septiembre, el ejército boliviano conocía casi al detalle los posibles accesos que podía seguir la columna guerrillera, merced a las infidencias que algunos pobladores, a veces por temor o simplemente por dinero, le habían realizado.

En términos estrictamente militares, la guerrilla estaba cercada y en malas condiciones, con una moral de combate afectada seriamente por las bajas y los escasos resultados obtenidos hasta el momento.

Poco después, el 26 de setiembre, los rebeldes ingresaron al pequeño caserío de La Higuera, donde apenas hallaron unas pocas mujeres y niños. Para colmo de males, una columna de siete de sus hombres fue emboscada con resultados fatales: tres combatientes murieron (Coco Peredo, Mario Julio López y Manuel Hernández); dos fueron heridos (Benigno y Pablo) y los dos restantes huyeron (Camba y León).

Si la situación era candente para los rebeldes, las cosas empeorarían mucho con el ingreso de un nuevo cuerpo represivo, los "rangers" bolivianos, cuerpo de reciente creación y

Fotografía del grupo guerrillero. En el medio, aparecen Juan Pablo Chang-Navarro y el Che.

especialmente entrenado por el ejército norteamericano.

Para entonces, la tropa rebelde estaba conformada por diecisiete combatientes cercados por una fuerza varias veces mayor. Aún así, lograron escabullirse entre las alturas y esquivar las rastrilladas del ejército. No obstante, la zona estaba completamente demarcada y a los perseguidores solo les restaba apretar el nudo. De hecho, el arribo del presidente Barrientos a Vallegrande, el 30 de septiembre, marcó de alguna manera cuán cerca se sentían los militares de su triunfo.

Guevara, por su parte, buscó una senda que los llevara hasta el río Grande, desde donde les resultaría más sencillo evadir la presión oficial.

El 7 de octubre comenzaron a bajar por un desfiladero en dirección al río. Esa noche realizará la última anotación de su diario:

> Octubre 7: Se cumplieron los once meses de nuestra inauguración guerrillera sin complicaciones, bucólicamente; hasta las 12.30 horas en que una vieja, pastoreando sus chivas entró en el cañón en que habíamos acampado y hubo que apresarla. La mujer no ha dado ninguna noticia fidedigna sobre los soldados, contestando a todo que no sabe, que hace tiempo que no va por allí. Solo dio información sobre los caminos; de los resultados del informe de la vieja se desprende que estamos aproximadamente a una legua de Higueras y otra de Jagüey y unas dos de Pucará. A las 17.30, Inti, Aniceto y Pablito fueron a casa de la vieja que tiene una hija postrada y una medio enana; se le dieron 50 pesos con el encargo de que no fuera a hablar ni una palabra, pero con pocas esperanzas de que cumpla a pesar de sus promesas. Salimos los 17 con una luna muy pequeña y la marcha fue muy fatigosa y dejando mucho rastro por el cañón donde estábamos, que no tiene casas cerca, pero sí sembradíos de papa regados por acequias del mismo arroyo. A las 2 paramos a descansar, pues ya era inútil seguir avanzando. El Chino se convierte en una verdadera carga cuando hay

> que caminar de noche. El Ejército dio una rara información sobre la presencia de 250 hombres en Serrano para impedir el paso de los cercados en número de 37, dando la zona de nuestro refugio entre el río Acero y el Oro. La noticia parece diversionista. h-2,000 ms.

Todo estaba a punto de desbarrancarse definitivamente.

La caída

Guevara ingresó a la Quebrada del Yuro y ordenó dividir en dos a la columna. Su idea era enviar primero a los que en peor condición física se hallaban, mientras los que podían sostener algún enfrentamiento quedaban rezagados para cubrirles la fuga.

Pero las fuerzas enemigas estaban ya sobre ellos y el enfrentamiento no pudo demorarse más. El propio Guevara fue herido de bala en su pierna izquierda y hecho prisionero junto a otros dos de sus hombres. Para el mediodía del 8 de octubre, la guerrilla había sido desarticulada en su integridad. Cinco combatientes lograrían burlar todos los cercos y, tras una maratónica y fantástica fuga, alcanzarían Chile, donde manos amigas los cobijarían y enviarían posteriormente de regreso a La Habana. Pero en el monte boli-

viano, la vida del Che y sus compañeros pendía de un hilo.

El mismo 8 de octubre llegó a La Higuera el "ranger" boliviano Gary Prado Salmón, quien constató la importancia de la captura y lo confirmó a sus superiores. Las órdenes recibidas fueron, por el momento, escuetas y claras: los detenidos debían ser trasladados a La Higuera, y encerrados con la mayor de las custodias en la pobrísima escuela del lugar: un precario rancho de adobe con piso de tierra.

Guevara, atado de pies y manos y sin atención alguna de su herida, descansaba malamente tirado en el piso de tierra, a escasos metros de donde yacían los cuerpos sin vida de varios de sus compañeros.

Para el día siguiente la excitación de los jefes militares era completa y se manifestaba claramente en los espasmódicos y constantes movimientos que había en la zona. Ya en la madrugada del 9 de octubre arribó el coronel Joaquín Zenteno Anaya, quien llegó acompañado del agente de la CIA Félix Rodríguez, el que debía certificar para sus verdaderos jefes la captura del Che.

Además, rápidamente fotografió cada una de las páginas del diario escrito por Guevara, como también otros documentos que se hallaban entre sus pertenencias. Para el mediodía, la

Félix Rodríguez, agente de la CIA, junto al Che.

Mario Terán. Fotografía tomada el año 1967.

orden de asesinar a Guevara ya había sido cursada y aguardaba su concreción. La directiva de Barrientos había sido explícita y no debía demorarse por más tiempo. El ejército boliviano se mostraba así, ante la mirada atenta de los servicios de inteligencia norteamericanos, severo y ejemplar.

Guevara, mientras tanto, continuaba tendido en el suelo, esporádicamente fotografiado e interrogado por el propio Félix Rodríguez. Una hora más tarde, alrededor de las 13:10, el Che Guevara moría asesinado por el sargento Mario Terán. El propio matador señalaría años más tarde:

> Dudé 40 minutos antes de ejecutar la orden. Me fui a ver al coronel Pérez con la esperanza de que la hubiera anulado. Pero el coronel se puso furioso. Así es que fui. Ese fue el peor momento de mi vida. Cuando llegué, el Che estaba sentado en un banco. Al verme dijo: "Usted ha venido a matarme". Yo me sentí cohibido y bajé la cabeza sin responder. Entonces me preguntó: "¿Qué han dicho los otros?". Le respondí que no habían dicho nada y él contestó: "¡Eran unos valientes!". Yo no me atreví a disparar. En ese momento vi al Che grande, muy grande, enorme. Sus ojos brillaban intensamente. Sentía que se echaba encima y cuando me miró fijamente, me dio un mareo. Pensé que con un movimiento rápido el Che podría quitarme el arma. "¡Póngase sereno –me dijo– y apunte bien! ¡Va a matar a un hombre!" Entonces di un

El helicoptero saliendo de la Higuera con el cuerpo del Che.

> paso atrás, hacia el umbral de la puerta, cerré los ojos y disparé la primera ráfaga. El Che, con las piernas destrozadas, cayó al suelo, se contorsionó y empezó a regar muchísima sangre. Yo recobré el ánimo y disparé la segunda ráfaga, que lo alcanzó en un brazo, en el hombro y en el corazón. Ya estaba muerto.

El cuerpo del Che fue luego trasladado en helicóptero a Vallegrande, donde sería expuesto en el lavadero del hospital Nuestro Señor de Malta. Un auténtico desfile de curiosos, campesinos, soldados y oficiales rotaron de continuo para ver y hasta fotografiarse junto al cuerpo que, desde ese mismísimo momento, comenza-

Detalle que muestra el cadaver del Che en el helicóptero.

ría a inquietar tanto o más que antes. Para evitar la descomposición del cadáver se le introdujeron grandes cantidades de formaldehído, una sustancia que servirá, cuatro décadas más tarde, para identificar sus huesos. Luego, decidida la desaparición del cuerpo, sus pertenencias fueron repartidas entre funcionarios y oficiales, a manera de trofeos de guerra. Además, las manos del Che fueron cortadas y conservadas, como prueba postrera de la muerte del jefe guerrillero.

Un día después, el 11 de octubre, el cadáver de Guevara fue enterrado en el mayor de los

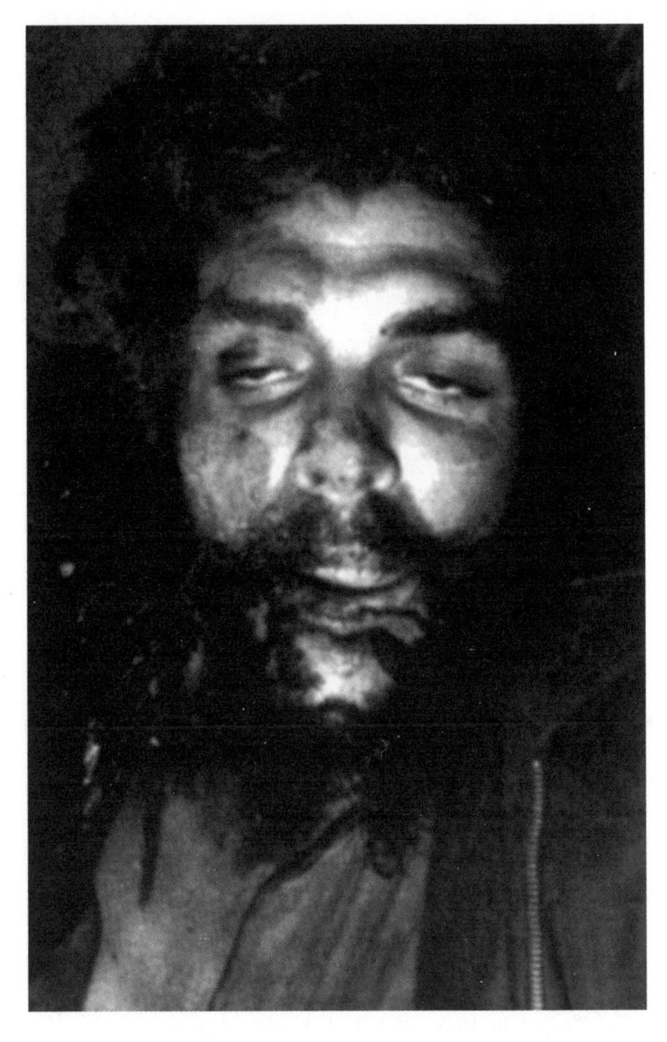

Imagen del Che después de ser asesinado a sangre fría.

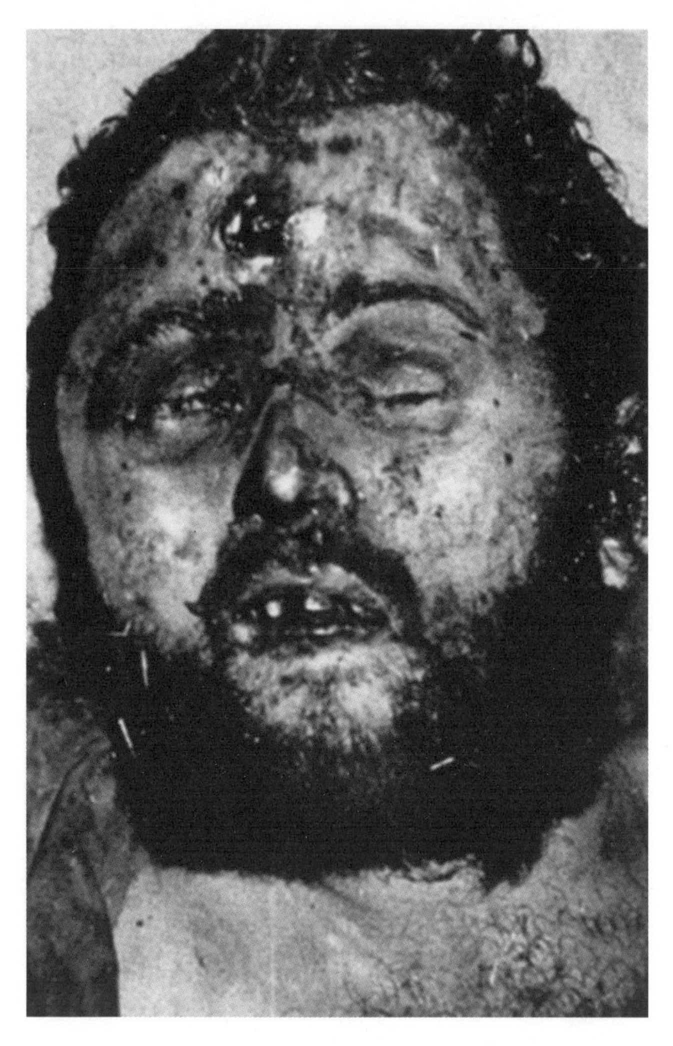

Juan Pablo Chang-Navarro, "el Chino".
Puede observarse el tiro de gracia en la frente.

La muerte del Che fue considerada una victoria tanto de la CIA como del gobierno boliviano de entonces.

secretos en una fosa diferenciada de la de otros seis combatientes.

El 28 de junio de 1997 su cuerpo será rescatado por un equipo de antropólogos cubanos y argentinos, y el 12 de julio los restos serán trasladados a Cuba, donde una multitud le brindará la más respetuosa de las recepciones. Finalmente, serán sepultados en Santa Clara, ciudad que representa el mayor de sus triunfos militares durante la Revolución Cubana.

Cronología

1928. Nace en Rosario el 14 de junio.
1930. Primeros ataques de asma.
1932. Para proteger la salud del pequeño, la familia Guevara se muda a Alta Gracia, Córdoba.
1937. Visita a la casa paterna de varios exiliados españoles. Ernesto descubre el drama de la Guerra Civil.
1944. La familia Guevara-De la Serna se traslada a Buenos Aires.
1945. Fallecimiento de su abuela Ana. Ernesto decide estudiar la carrera de Medicina.
1945-50. Exceptuado del Servicio Militar y matriculado en la Facultad de Medicina de

Buenos Aires, colabora en el laboratorio del alergista Dr. Pisani.

1951-52. Viaje en motocicleta con su amigo Alberto Granado, recorriendo buena parte de la América andina. Visita varios leprosarios. El viaje concluye en Miami, de donde regresa en avión.

1953. Rinde los quince exámenes faltantes para graduarse de médico, y presenta una tesis sobre alergia. Nuevo viaje por América latina junto a su amigo Calica Ferrer.

1954. Permanece en Guatemala de enero a agosto. Colabora con el servicio sanitario nacional organizado bajo el gobierno popular de Jacobo Arbenz. Frecuenta la militancia comunista y lee ávidamente teoría marxista. Conoce a Hilda Gadea, su futura primera esposa. Testigo del derrocamiento de Arbenz, se refugia en la embajada argentina.

1955. Llega a Ciudad de México, donde trabaja como fotógrafo ambulante y vendedor de libros. Conoce a un grupo de exiliados cubanos del Movimiento 26 de Julio y a su líder, Fidel Castro. Comienza a recibir entrenamiento junto a ellos. Se casa con Hilda Gadea. Detenido, permanece 57 días preso. El 25 de noviembre parte con el yate *Granma* hacia Cuba.

1956. Desembarco del *Granma* en Playa de las Coloradas, el 2 de diciembre. Participa desde el inicio en la campaña revolucionaria en la Sierra Maestra.

1957-58. Campaña guerrillera en la Sierra Maestra. Es nombrado Comandante. Campaña de Las Villas y triunfo en Santa Clara.

1959. Miembro del Gobierno Revolucionario de Cuba. En junio, se casa con Aleida March, con quien tendrá cuatro hijos: Aleida, Camilo, Celia y Ernesto. Encabeza una misión económica a Egipto, India, Japón, Indonesia, Sri Lanka, Paquistán, Yugoslavia y Marruecos. Es nombrado jefe del Departamento de Industrialización del INRA (Instituto Nacional para la Reforma Agraria) y presidente del Banco Nacional de Cuba.

1960. Primera edición de *La guerra de guerrillas*. Visita oficial a Checoslovaquia, URSS, China, Corea y la República Democrática Alemana.

1961. Ministro de Industria, cargo que mantendrá por cuatro años. Encabeza la delegación cubana en la conferencia de Punta del Este. Visita fugaz a Buenos Aires, donde se entrevista con el presidente Arturo Frondizi.

1962. Durante la Crisis de los Misiles, ostenta la jefatura de la defensa del Frente Occidental

(Pinar del Río). Nace Camilo, su primer hijo varón.

1963. Visita Argelia y se entrevista con Ben Bella. Publica *Pasajes de la guerra revolucionaria*.

1964. Asiste a la Conferencia de Comercio y Desarrollo convocada por las Naciones Unidas en Ginebra. Nuevo viaje a Moscú por el 47º aniversario de la Revolución Rusa. En diciembre habla en la Asamblea de las Naciones Unidas, en Nueva York. Nueva visita a Argelia.

1965. Visita Mali, Congo-Brazzaville, Guinea, Ghana, Dahomey, China y Tanzania. Discurso de Argel, donde denuncia la falta de solidaridad de los países socialistas para con los movimientos de liberación. Viaje a Egipto y entrevista con el presidente Nasser. Último discurso público y carta de despedida a Fidel Castro. Tras su regreso a La Habana, el 14 de marzo realiza su última aparición pública. Viaje secreto al Congo y Tanzania para apoyar los movimientos revolucionarios de esos países. La campaña termina en el mayor fracaso. Se publica *El socialismo y el hombre en Cuba*.

1966. En noviembre se traslada a Bolivia bajo identidad falsa y se pone al frente de la guerrilla. Comienza a escribir su diario.

1967. En abril, Mensaje a la Tricontinental. Los rumores sobre su presencia son abrumadores, y en junio el gobierno de Barrientos declara el Estado de Guerra. Primeras acciones de la guerrilla con algunos éxitos militares. Dividida en dos grupos, la fuerza del Che comienza a ser cercada. El 31 de agosto, en Vado del Yeso, es aniquilada una de las dos columnas. El 26 de septiembre la columna del Che cae en una emboscada, y el 8 de octubre, en la Quebrada del Yuro, el grupo acaba rodeado. El Che, herido, es tomado prisionero. Trasladado a la escuela de La Higuera, el 9 de octubre es asesinado. Tras la amputación de sus manos, el cadáver es enterrado en un lugar secreto. El 15 de octubre Fidel Castro confirma la muerte de Guevara.

1997. Son hallados e identificados sus restos y trasladados de inmediato a Cuba.

Bibliografía básica

Anderson, Jon Lee, *Che, una vida revolucionaria*, Emecé, Buenos Aires, 1997.

Castañeda, Jorge, *La vida en rojo. Una biografía del Che Guevara*, Espasa, Buenos Aires, 1997.

Debray, Régis, *La guerrilla del Che*, Siglo XXI, Barcelona, 1975.

Gambini, Hugo, *El Che Guevara: la biografía*, Planeta, Buenos Aires, 1968.

Granado, Alberto, *Con el Che Guevara, de Córdoba a La Habana*, Opolop Ed., Córdoba, 1995.

Guevara Lynch, Ernesto, *Aquí va un soldado de América*, Sudamericana-Planeta, Buenos aires, 1987.

Kalfon, Pierre, *Che. Ernesto Guevara, una leyenda de nuestro siglo*, Plaza y Janés, Barcelona, 1997.

Massari, Roberto, *Che Guevara. Grandeza y riesgo de la utopía*, Txalaparta, Navarra, 1992.

Peredo, Inti, *Mi campaña con el Che*, Diógenes, México, 1992.

Rojo, Ricardo, *Mi amigo el Che*, Sudamericana, Buenos Aires, 1996.

Rot, Gabriel, *Los orígenes perdidos de la guerrilla en la Argentina*, Buenos Aires, El cielo por asalto, 2000.

Taibo II, Paco Ignacio, *Ernesto Guevara, también conocido como el Che*, Planeta, México, 1996.

Ustariz Arze, Reginaldo, *Che Guevara, Vida muerte y resurrección de un mito*, Ediciones Nowtilus, Madrid, 2007.

Vázquez Viaña, Humberto, *Una guerrilla para el Che*, Editorial RB, Santa Cruz de la Sierra, 2000.

D0981052